Enid B
Rätsel um der

OMNIBUS

**DIE AUTORIN**

Im Jahre 1997 wäre Enid Blyton 100 Jahre alt geworden. Sie liebte Kinder über alles und offenbar spüren diese das, denn sonst hätten es ihre Bücher niemals zu einem solch einmaligen und immer noch andauernden Erfolg bringen können. Als sie 1968 starb, hinterließ sie ein Werk von 700 Büchern, auch viele Lieder, Gedichte und Theaterstücke. Ihre Bücher sind in 30 Sprachen übersetzt worden und noch heute werden jedes Jahr weltweit etwa achteinhalb Millionen Exemplare verkauft. Es gibt wohl kaum einen Schriftsteller, der größeren Einfluss auf das Kinderbuch der Nachkriegszeit hatte. »Eine Kindheit ohne Enid Blyton ist seit Jahrzehnten undenkbar«, schrieb die Süddeutsche Zeitung am 27. September 1995.

Von Enid Blyton sind bei C. Bertelsmann folgende Reihen erschienen: »Fünf Freunde«, »Die schwarze 7«, die »Rätsel«-Reihe, »Die verwegenen 4« und »Lissy im Internat«.

**DIE SERIE**

Wer kennt es nicht, dieses herrliche Gefühl, wenn die Ferien endlich beginnen? Stubs, Dina, Robert und Barny, die Freunde aus der »Rätsel«-Reihe, können es jedes Mal kaum erwarten, sich wieder zu treffen. Ob Oster-, Sommer-, Herbst- oder Weihnachtsferien – ihnen ist nicht nach Faulenzen zu Mute, denn aufregende, spannende und manchmal auch komische Abenteuer sind zu jeder Jahreszeit zu bestehen.

Enid Blyton

# Rätsel um den
# tiefen Keller

**Stubs** ist der unternehmungslustige Vetter
der Geschwister Dina und Robert

Ohne **Dina**, Roberts Schwester,
wären die Jungen aufgeschmissen

**Miranda**, das Äffchen,
ist bei jedem Abenteuer
dabei

**Lümmel** macht seinem Namen alle
Ehre – und doch ist er ein treuer Freund

# Gemeinsam lösen wir jedes Rätsel

Zusammen mit **Barny** gehen die Freunde durch dick und dünn

Die Katze namens **Sardine** trägt ihren Namen auf Grund ihrer Lieblingsspeise

**Robert** ist ständig auf dem Sprung

Band 20194

Der Taschenbuchverlag
für Kinder und Jugendliche
von C. Bertelsmann,
München

Siehe Anzeigenteil am Ende des Buches
für eine Aufstellung der bei OMNIBUS
erschienenen Titel der Serie.

*Umwelthinweis:*
*Dieses Buch wurde auf chlorfrei gebleichtem*
*Papier gedruckt.*

Erstmals als OMNIBUS Taschenbuch November 1995
Gesetzt nach den Regeln der Rechtschreibreform
Die Originalausgabe erschien unter dem Titel
»The Mystery that never was« bei Collins, London-Glasgow
© Enid Blyton Ltd., London
Enid Blytons Unterschrift ist ein eingetragenes
Warenzeichen von Enid Blyton Limited.
© für die deutschsprachige Ausgabe
C. Bertelsmann Verlag GmbH, München
Alle deutschsprachigen Rechte vorbehalten
Illustrationen: Kurt Schmischke
Umschlagbild: Charlotte Panowsky
Umschlagkonzeption: Klaus Renner
bm · Herstellung: Stefan Hansen
Satz: Uhl + Massopust, Aalen
Druck: Presse-Druck Augsburg
ISBN 3-570-20194-5
Printed in Germany

10 9 8 7 6 5 4 3 2

# I

## *Eine Neuigkeit am Frühstückstisch*

Im D-Zug-Tempo kam Stubs die Treppe heruntergerast, während sein kleiner schwarzer Spaniel Lümmel schon begeistert bellend durch die Diele fegte und sich gleich darauf mit aller Kraft gegen die Esszimmertür warf, sodass sie weit aufflog und gegen die Wand schlug.

Tante Susanne und Onkel Richard, die noch am Frühstückstisch saßen, erschraken, und der Onkel stöhnte: »Was soll der Unfug? Bring den Hund hinaus, hörst du?«

Tante Susanne aber strich liebevoll über Lümmels seidiges Fell, der sie nun stürmisch begrüßte, nickte ihrem Neffen lächelnd zu und legte die Hand besänftigend auf die ihres Mannes. »Du kennst ihn doch, du musst dich wie immer erst wieder an ihn gewöhnen.«

»Hallo!«, rief Stubs, sah strahlend von einem zum anderen, setzte sich und fragte, während er seinen Teller mit Rührei belud: »Wo sind denn Robert und Dina? Schlafen sie etwa noch?«

»Sie sind doch nicht solche Langschläfer wie du, sie sind schon längst im Gartenhäuschen«, lachte die Tante amüsiert und fügte mit einem raschen Blick in sein empörtes Gesicht hinzu: »Ja, ja, du bist für heute entschuldigt. Wenn man eine so lange Bahnfahrt hinter sich hat und so spät eingeschlafen ist wie du gestern, dann darf man schon einmal zu spät zum Frühstück kommen.«

Der elternlose Peter, der seiner Stubsnase wegen nur Stubs genannt wurde, verbrachte seine Ferien mit wenigen Ausnahmen bei den Lyntons, denn er liebte Tante Susanne ganz besonders, und auch mit seiner Cousine Dina und seinem Cousin Robert verstand er sich prächtig. Übrigens ging es seinem Hund Lümmel nicht anders, obwohl er, genau wie sein Herrchen, durch wildes, ungebärdiges Benehmen nicht selten den Unwillen Onkel Richards erregte.

»Ist es denn schon sehr spät?«, fragte er nun, schob eine Gabel mit Rührei in den Mund und fuhr, ohne eine Antwort abzuwarten, fort: »Eigentlich dürfte ich keine einzige Minute von diesem Tag versäumen!«

»Hatte ich dir nicht gesagt, du sollst den Hund hinausbefördern?«, ließ sich Onkel Richard vernehmen und Tante Susanne meinte erstaunt: »Von diesem Tag? Was sollte denn heute Besonderes sein?«

»Das fragst du noch? Der erste Ferientag ist heute! Du scheinst nicht zu ahnen, was das bedeutet! Ha, vier herrliche lange Wochen, in denen man tun und lassen kann, was man will, vier Wochen ohne Arbeit, ohne ewige Ermahnungen ...«

»Hm«, machte Onkel Richard und räusperte sich vernehmlich.

»... ohne ewige Ermahnungen«, wiederholte Stubs unbeirrt, »ohne Zwang, ohne ...«

Es schien, als fehlten ihm nun weitere Worte, denn er holte tief Luft und fing an zu singen: »Verstehst du denn nicht, es ist der erste Ferientag! Hast du denn früher nicht auch vor Freude gesungen?«

»Sitz still«, war die in ungerührtem Ton hervorgebrachte Antwort. »Ich werde erst dann vor Freude singen, jedenfalls hoffe ich es, nachdem ich dein Zeugnis gesehen habe. Geh von meinen Füßen, Lümmel.«

Lümmel erhob sich sofort, um es sich im nächsten Augenblick auf denen der Tante bequem zu machen. Er liebte sie sehr, weil sie ihn niemals davonjagte. »Da hast du dir wohl mit Dina und Robert viel für all die kostbaren Tage vorgenommen?«, wandte sie sich lächelnd an ihren Neffen.

Stubs, nun damit beschäftigt, ein Brötchen mit Butter zu bestreichen, runzelte die blonden Brauen. »Im Moment liegen, um der Wahrheit die Ehre zu geben, noch keine endgültigen Pläne vor. Vielleicht beschäftigen wir uns ein bisschen mit Lümmel. Er könnte noch eine Menge lernen, zum Beispiel, Onkel Richard abends immer die Hausschuhe zu bringen. Wäre doch sehr angenehm für ihn, nicht wahr?«

»Du lieber Himmel, auch das noch!«, stöhnte Herr Lynton. »Ich sehe schon vor meinem geistigen Auge sämtliche Schuhe im Hause verstreut herumliegen. Was frisst der Hund da eigentlich?«, fragte er erstaunt, als jetzt ein knirschendes Geräusch unter dem Tisch hervordrang. »Du hast ihm wohl wieder Toast gegeben, nehme ich an.«

»Und ich möchte annehmen, dass es Tante Susanne war«, grinste Stubs. »Lümmel, friss nicht so laut! Übrigens, bekomme ich heute schon mein Taschengeld? Oder wenigstens eine kleine Anzahlung, vielleicht fünf Mark?«

»Ja, ja, ja«, brummte der Onkel, »und nun sei endlich still. Ich möchte die Zeitung lesen und deine Tante ihre Post.«

Frau Lynton hatte einen Brief auseinander gefaltet und Stubs' scharfe Augen erkannten die Handschrift sofort. »Wetten, dass der von Onkel Bob ist?«, schrie er. »Hat er wieder einen tollen Auftrag gehabt?«

Tante Susanne lachte und legte den Brief neben ihren Teller. »Er kommt und wird einige Zeit bei uns bleiben und ...«

11

»Hurra!«, brüllte Stubs und sprang so plötzlich vom Stuhl, dass seine Tasse bedenklich ins Wanken geriet. »Hast du das gehört, Lümmel?«

Lümmel bellte begeistert, streckte den Kopf unter dem Tisch hervor und wedelte mit dem Schwanz, wobei dieser immer wieder gegen Herrn Lyntons Beine schlug.

»Hat Onkel Bob etwa hier in dieser Gegend etwas zu tun?«, fragte Stubs aufgeregt und seine Augen leuchteten. »Bestimmt will er irgendetwas herauskriegen und dann können Dina, Robert und ich ihm zur Hand gehen. Weißt du, was es ist? Vielleicht irgendetwas mit ...«

»Hör auf, hör auf!« Tante Susanne presste beide Hände gegen die Ohren. »Und sprich langsamer. Außerdem muss ich dich enttäuschen, er besucht uns, ganz im Gegenteil, um sich zu erholen; er ist krank gewesen und will sich ausruhen.«

»Schade«, murmelte Stubs, »und ich dachte schon, er wäre hinter irgendeinem Schwerverbrecher oder sonst einem Gauner her. Da hat man nun einen Verwandten im Hause, der Detektiv ist, und ...«

»Privatdetektiv«, verbesserte die Tante, »er arbeitet ...«

»Ich weiß ganz genau über seine Arbeit Bescheid«, rief Stubs eifrig. »Im Fernsehen gibt's noch und noch Stücke mit Privatdetektiven. Einmal habe ich eins gesehen, da hatte einer einen furchtbar schwierigen Fall. Die ganze Sache spielte sich zuletzt in einem Flugzeug ab und dann ...«

»Ich halte nichts davon, wenn Kinder vor dem Bildschirm sitzen«, sagte Herr Lynton, griff nach seinen Briefen und stand auf. »Und noch eins: Wie du eben gehört hast, kommt Onkel Bob hierher, um sich zu erholen. Ich wünsche also nicht, dass du ihn den ganzen Tag mit Fragen belästigst und ihn mit deiner Neugierde zur Verzweiflung bringst!«

Stubs nickte ergeben und schob heimlich eine Scheibe Toast unter den Tisch. »Hast du gehört, Lümmel, es wird bestimmt prima mit Onkel Bob! Hast du ihn schon einmal in einer seiner Verkleidungen gesehen, Tante Susanne? Darf ich ihn vielleicht anrufen und ihn bitten, dass er verkleidet herkommt? Dann könnten Dina, Robert und ich versuchen, ihn trotzdem zu erkennen.«

»Sei nicht albern«, sagte Frau Lynton, »und bevor du hinausgehst, räumst du dein Zimmer auf. Bestimmt hast du wieder alles über den ganzen Boden verstreut.«

»Schon gut«, entgegnete Stubs hoheitsvoll. »Komm, Lümmel. Was sagst du denn dazu, dass wir Ferien haben? Du wirst in diesen Wochen übrigens viele neue Kunststücke lernen. Jetzt ist gerade die beste Zeit dazu, jetzt bist du nicht mehr zu jung und auch noch nicht zu alt und dann lernt man nämlich am leichtesten, na, lauf!«

Lümmel jagte durch die Diele, sodass eine Matte über den blank gebohnerten Fußboden flog, die Treppe hinauf und weiter den Flur entlang in Stubs' Zimmer, wo er Sardine, die schwarze Katze, aufscheuchte. Mit einem Satz flüchtete sie auf die Kommode und starrte ihn wütend aus ihren grünen Augen an.

In aller Eile raffte Stubs unterdessen die neben dem halb geleerten Koffer umherliegenden Kleidungsstücke zusammen und verstaute sie in einer Schublade. »So, die ist voll«, erklärte er, zu Lümmel gewandt, »den Rest werde ich schon noch in der Nächsten unterbringen. Und wenn ich hier fertig bin, laufe ich runter und rufe Onkel Bob an, heimlich natürlich. Hör auf zu bellen, wenn du noch länger solchen Krach machst, erscheint unter Garantie Tante Susanne, um nachzusehen, was los ist.«

Nachdem er auch die zweite Schublade voll gestopft hatte, lief er hinunter ins Arbeitszimmer zum Telefon, wählte und wartete ungeduldig.

Doch leider meldete sich nur die Sekretärin des Onkels. »Sind Sie es, Fräulein Hewitt?«, fragte Stubs schnell und in gedämpftem Ton. »Passen Sie auf, Onkel Bob kommt heute zu uns, und Dina, Robert und ich wollen ihn gern

vom Bahnhof abholen. Würden Sie bitte so liebenswürdig sein und ihm bestellen, er möchte sich verkleiden? Wir wollen nämlich versuchen, ob wir ihn erkennen, so ein bisschen Detektiv spielen, wissen Sie.«

»Ich werde es ausrichten«, kam Fräulein Hewitts Stimme vom anderen Ende. »Das heißt, natürlich nur dann, wenn ich ihn noch einmal sehe, bevor er fährt. Er ist ...«

Stubs hörte plötzlich Schritte in der Diele, sagte hastig »Auf Wiedersehen!« und warf den Hörer auf die Gabel. Er fürchtete nicht zu Unrecht, Onkel Richard würde wenig Verständnis für derartige Telefongespräche aufbringen. Doch glücklicherweise entfernten die Schritte sich wieder und so schlüpfte er ungesehen aus dem Zimmer.

»Das ist noch einmal gut gegangen, mein Liebling!«, seufzte er erleichtert. »Und jetzt wollen wir Dina und Robert erzählen, dass Onkel Bob kommt!«

Er gab dem aufgeregten kleinen Spaniel einen zärtlichen Klaps und jagte mit ihm in den sonnigen Garten hinaus.

# II

## *Und wenn er als*
## *Weihnachtsmann käme*

Genau wie die Kinder es immer zu tun pflegten, jagte
Lümmel, um den Weg abzukürzen, quer über den Rasen
bis hinunter zur Hecke, die das Grundstück umgab, nicht
ohne vorher Marie, die gerade eine Matte ausschüttelte,
beinahe umgerissen zu haben.

»Du und dieser Junge!«, brummte sie kopfschüttelnd.
»Immer hundertzwanzig Kilometer in der Stunde und
niemals Zeit zum Bremsen!«

»Nicht schimpfen, Mariechen«, schmeichelte Stubs
und umarmte sie zärtlich. »Wir sind nämlich beide so aufgeregt, weil Onkel Bob kommt.« Er jagte weiter und ließ
die schnell Versöhnte lachend zurück. Wann jemals hätte
sie ihm ernstlich böse sein können?

Wie nicht anders zu erwarten, erreichte Lümmel als Erster das Ziel, warf sich gegen die Tür des Gartenhäuschens und stürzte sich gleich darauf außer sich vor Freude auf Dina und Robert und versuchte ihnen die Hände zu lecken.

»Hör auf, du bist ja verrückt«, grinste Robert, »hör auf, hör auf! Wir haben uns schon gewaschen. Hallo, Stubs!«

»Hallo, Dina! Hallo, Robert!«, schrie Stubs völlig außer Atem. »Ist es nicht toll, keine Schule zu haben? War mein erster Gedanke heute Morgen. Und wie geht es deiner neuen Errungenschaft, deinen Meerschweinchen?«

»Gut, ich habe sie gerade gefüttert, aber es sind nicht meine, ich habe sie nur in Pension genommen. Sieh dir den hier an, er ist der Jüngste, von allen aber der Klügste. Setz dich, Lümmel, du bist ein furchtbar neugieriger Hund. Eigentlich müsstest du Schnüffel heißen.«

»Lümmel passt auch ganz gut«, widersprach Stubs strahlend, »er hat ja meistens etwas auf dem Kerbholz. Aber lassen wir das jetzt, hört zu, ich weiß eine tolle Neuigkeit. Onkel Bob kommt! Seit heute früh bin ich übrigens fest entschlossen, auch Detektiv zu werden. Muss ein kolossal spannender Beruf sein. Wenn ich nur an die Krimis im Fernsehen denke! Erinnert ihr euch noch an den, wo es nachher der Professor war? Nie hätte ich gedacht …«

»Ach, lass doch den Quatsch«, unterbrachen ihn Dina und Robert ungeduldig, »erzähl lieber, hat Onkel Bob hier irgendetwas zu tun? Ist er irgendjemandem auf der Spur?«

»Leider nicht«, seufzte Stubs, »er will sich erholen, weil er krank war. Ich habe ihn schon angerufen und ihn gebeten in einer seiner Verkleidungen zu erscheinen, damit wir ihm zeigen können, dass wir ihn trotzdem erkennen. Er ist doch ein Phäno … Phäno …«

»… men«, ergänzte Robert grinsend.

»… men«, wiederholte Stubs, »ein Phänomen im Verkleiden. Er hat mir einmal all den Plunder gezeigt, das hättet ihr sehen sollen, einen ganzen Schrank voll!«

»Prima«, sagte Dina eifrig, »prima! Weißt du noch, wie du am Guy-Fawkes-Tag als Landstreicher durch die ganze Stadt gezogen bist? Kein Mensch hätte dich erkannt, wenn du nicht diesen blöden Hustenanfall gekriegt hättest.«

»Dass du mich auch immer an meine Niederlagen erinnern musst.« Stubs schüttelte unwillig den Kopf, fügte aber gleich darauf, durch einen plötzlichen Einfall in hoffnungsfreudige Stimmung versetzt, hastig hinzu: »Vielleicht hat Onkel Bob Tante Susanne auch nur nicht erzählen wollen, dass irgendetwas los ist. Vielleicht ist er doch einem Verbrecher auf der Spur.«

»Vielleicht«, meinte Robert nachdenklich, »ich kann mir übrigens auch gar nicht vorstellen, dass er krank gewesen sein soll. Bis jetzt wenigstens war er immer kerngesund.«

»Klar«, rief Dina aufgeregt, »er ist einfach nicht kleinzukriegen. Wisst ihr noch, wie er uns einmal kilometerweit durch die Gegend geschleift hat? Damals war ich fix und fertig, und wenn ich daran denke, fände ich es gar nicht so übel, wenn er sich einmal ausruht.«

»Ja, das war wirklich ein bisschen zu viel«, bestätigte Stubs bereitwillig. »Also, jedenfalls erscheint er heute bestimmt in irgendeiner Verkleidung, er ist niemals ein Spielverderber. Was denkt ihr, als was er kommt?«

»Als alter Mann vielleicht«, entgegnete Robert, ein bisschen amüsiert über Stubs' Eifer. Was ihn betraf, so schien es ihm reichlich unwahrscheinlich, dass Onkel Bob sich im Ernst auf Stubs' Vorschlag eingelassen haben sollte.

»Oder als Schornsteinfeger«, kicherte Dina.

»Oder als Briefträger«, überlegte Stubs stirnrunzelnd. »Aber eines steht fest, erkennen tue ich ihn immer, nämlich an seinen großen Füßen, die kann er nicht verstecken.«

»Er könnte sich auch als Frau verkleiden«, ließ sich Dina, noch immer kichernd, wieder vernehmen.

»Glaube ich nicht, geht schlecht wegen seiner Stimme und dann wegen seines Ganges, wegen der Riesenschritte, die er macht.«

»Macht unsere Reitlehrerin auch«, wandte Dina ein, »und sprechen tut sie auch ganz schön tief, weißt du, so.« Und zu Lümmels grenzenlosem Erstaunen sprach sie plötzlich mit so heiserer, unnatürlicher Stimme, dass er wütend zu knurren begann.

»Schon gut, mein Liebling«, grinste Stubs und streichelte ihn beruhigend, »Dina hat nur wieder einmal ihre albernen fünf Minuten. Was hältst du übrigens davon, wenn wir nachher zusammen zum Bahnhof gehen?«

»Das wäre Blödsinn«, widersprach Robert bestimmt, »er würde Onkel Bob sofort vor lauter Glück über den Haufen rennen.«

»Tatsache«, sagte Stubs verblüfft, »daran habe ich gar nicht gedacht. Zu dumm, nun hat er sich schon so gefreut, nun wird er furchtbar enttäuscht sein und furchtbar heulen. Höchstens«, fuhr er nachdenklich fort, »höchstens, dass ich ihm sage, er soll aufpassen, dass Sardine sich nicht über die Meerschweinchen hermacht. Dann fühlt er sich unabkömmlich und sehr geehrt.«

Dina lachte. »Der Gute, ja, ich glaube, das ist das Richtige für ihn. Weißt du noch, wie er, als der Großonkel zu

Besuch bei uns war, aufpassen sollte, dass der Alte dich nicht erwischte, weil du wieder einmal etwas auf dem Kerbholz hattest? Und wie er dann bellte und nicht Onkel Johann, sondern Sardine erschien?«

Stubs grinste. »Ja, und ich lag die ganze Zeit unter der Bank.«

»Wir reden und reden«, sagte Robert, »und dabei muss ich noch den Stall sauber machen. Wenn ihr wollt, könnt ihr mir ja helfen.«

Es stellte sich jedoch heraus, dass es für sie alle nicht genügend Arbeit gab, und Stubs begann sich nach einem anderen Betätigungsfeld umzusehen. Sein suchender Blick fiel auf den eisernen Ofen, der seit langem nicht mehr benutzt wurde, und während er vor sich hin murmelte: »Der müsste auch einmal geputzt werden«, hatte er schon sein Taschentuch hervorgezogen und das Reinigungswerk begonnen. Nachdem der Ofen zwar nicht viel sauberer, er aber umso schmutziger geworden war, beschloss er, den Aschenkasten auszuleeren, und stand eine Sekunde später in einer Wolke von Asche.

»Mein Kleid!«, schrie Dina entsetzt und Robert rief ärgerlich: »Idiot!«, riss sämtliche Fenster auf und fügte kopfschüttelnd hinzu: »Dass du auch immer nur Blödsinn machen musst.«

»Ich kann doch nichts dafür«, entschuldigte sich Stubs
in ungewohnt kläglichem Ton. »Als ich zog, gab es plötzlich einen Ruck, der Kasten klemmte nämlich.«

Doch dieser Umstand befreite ihn selbstverständlich

nicht von der Aufgabe, die Spuren seines Wirkens zu beseitigen. Und als er endlich die Arbeit beendet hatte, stellte er nach einem flüchtigen Blick auf seine Hände mit Bedauern fest, dass es sich nun wohl doch nicht umgehen ließ, sie zu waschen.

Viel Zeit blieb übrigens nicht mehr und so beschränkte sich denn auch der Abschied von Lümmel auf einige wenige Worte: »Hör zu, mein Liebling, du musst gut aufpassen, dass Sardine den Meerschweinchen nichts tut. Wir gehen nämlich jetzt zum Bahnhof, weil wir Onkel Bob beweisen wollen, dass wir ihn immer erkennen, und wenn er als Weihnachtsmann käme!«

# III

## *Dreimal Onkel Bob*

Die Kinder ließen einen überaus stolzen Lümmel vor dem Sommerhäuschen zurück, und Stubs sagte, nachdem er ihm noch einen liebevollen Blick zugeworfen hatte: »Wir gehen besser durch die Küche, dann treffen wir höchstens Mariechen, mit solchen Händen möchte ich Tante Susanne lieber nicht begegnen.«

Marie starrte sie erstaunt an, als sie an ihr vorüberstürmten, und murmelte: »Na, so was, ich habe gar nicht gewusst, dass Frau Lynton den Schornsteinfeger für heute bestellt hat.«

Die drei grinsten und verschwanden, ohne ein Wort zu erwidern. In Windeseile zog Stubs sich einen sauberen Pullover an, wusch sich flüchtig das Gesicht und um einige Grade sorgfältiger die Hände, während Robert seine Hosen kräftig mit einer Bürste bearbeitete und Dina, die eben ein anderes Kleid überstreifte, durch die geöffnete Tür zurief: »Wir wollen sehen, dass wir Mutter nicht begegnen, ich habe keine Lust, noch alles Mögliche mitbringen zu müssen!« So schlichen sie also gleich darauf die Treppe hinunter und weiter zur Küche.

»Oh, da seid ihr ja«, rief Frau Lynton, die in diesem Augenblick in der Diele erschien. »Wo seid ihr nur den ganzen Vormittag gewesen? Ihr solltet doch für mich…«

»Tut uns Leid, Tante Susanne«, rief Stubs im Laufen, »wir müssen zum Bahnhof, Onkel Bob abholen, höchste Eisenbahn!«

»So wartet doch nur, er kommt ja…«

Aber da klappte schon die Küchentür und die drei waren verschwunden!

»Das war knapp!«, keuchte Stubs, während sie zum Gartentor jagten. »Los, beeilt euch, wir werden es gerade noch schaffen.«

Und tatsächlich, als sie atemlos durch die Sperre liefen, fuhr der Zug ein. »Wir passen auf die Leute auf, die hinten aussteigen, du kannst hier vorne bleiben«, sagte Robert, und indem er schon mit Dina den Bahnsteig entlangrannte, rief er über die Schulter zurück: »Und denk an seine großen Füße!«

Nur wenige Leute, sechs an der Zahl, stiegen aus. Zwei davon waren Frauen und von ziemlich kleiner Statur, die also nicht in Frage kamen, und auch der Junge nicht, der pfeifend dem Ausgang zulief. So blieben denn nur drei übrig und die Kinder betrachteten sie aufmerksam.

Der eine, ein älterer Mann, schlurfte über den Bahnsteig, den gesenkten Kopf etwas vorgestreckt, und es war nichts Außergewöhnliches an ihm außer einem beachtlichen Bart und Füßen von noch beachtlicherem Ausmaß.

Stubs strahlte und dachte: »Könnte ganz gut Onkel Bob sein.«

Der eine der beiden anderen war ein Briefträger mit einer schwarzen Ledertasche über der Schulter. Auch er zeichnete sich durch ungewöhnlich große Füße aus und trug außerdem einen kleinen Schnurrbart. Während er langsam weiterging, wischte er sich mit dem Taschentuch über das erhitzte Gesicht, und als er an den Kindern, die sich an der Sperre wieder zusammengefunden hatten, vorüberkam, nieste er so laut und kräftig, dass sie sich heimlich anstießen.

»Ich wette, das ist er«, flüsterte Dina, »ich wette, das Niesen war ein Zeichen. Los, Stubs, den kannst du übernehmen, wir kümmern uns um den Alten. Der andere kommt sowieso nicht in Frage wegen der zu kleinen Schuhnummer.«

Stubs erklärte sich sofort einverstanden und heftete sich dem Briefträger an die Fersen. Er wünschte, er hätte ihm richtig ins Gesicht sehen können. Nun, was die Schuhgröße betraf, so war die Ähnlichkeit mit Onkel Bob jedenfalls verblüffend. Noch immer bearbeitete der Mann seine Nase mit dem Taschentuch, rückte dann ganz unvermittelt die schwere Tasche etwas nach hinten und stieß Stubs dabei mit dem Ellenbogen an.

»Hoppla«, sagte der, »hoppla, Onkel Bob, hast du dich erkältet?«

Der Mann starrte ihn befremdet an und sagte ungeduldig: »Zum Teufel, was läufst du hinter mir her? Du kommst dir wohl sehr witzig vor, wie? Verschwinde, aber ein bisschen dalli!«

Seine Stimme klang so heiser, dass Stubs felsenfest davon überzeugt war, sie wäre verstellt. »Ach, gib's auf«, lachte er, »dich erkenne ich unter tausenden, auch wenn du krächzt wie eine alte Krähe.«

Es hätte nicht viel gefehlt und er hätte dem Mann einen aufmunternden Stoß in die Seite versetzt. Doch als der nun plötzlich einen Schritt auf ihn zu tat und in drohendem Ton sagte: »Wenn du nicht sofort verschwindest,

rufe ich den Polizisten da drüben!«, erkannte Stubs mit Schrecken, dass er sich getäuscht hatte, und begann sich ziemlich ungemütlich zu fühlen.

»Äh, entschuldigen Sie«, stotterte er verwirrt und glühend rot geworden, »ich habe gedacht, dass Sie, äh, dass Sie sich verkleidet hätten. Es handelt sich um eine Verwechslung, ich dachte, Sie wären ein, Sie wären ein …«

»Mach, dass du wegkommst«, schrie der Briefträger außer sich und nieste von neuem so heftig, dass ihm die Mütze nach vorne rutschte und jegliche Sicht nahm.

Ohne zu zögern ergriff Stubs die Gelegenheit, mit einem höflichen »Zum Wohle« den Rückzug anzutreten und aufatmend hinter Dina und Robert herzujagen, die noch immer dem alten Mann folgten. »Die haben Glück gehabt«, dachte er neiderfüllt. Der langsam dahinschlurfende und ständig vor sich hin murmelnde Alte musste Onkel Bob sein.

Als er die beiden erreicht hatte, erkundigte er sich flüsternd: »Ist er's?«

Robert zuckte die Schultern. »Möglich.« Und Dina kicherte: »Man braucht sich bloß seine Füße anzusehen.«

Ja, die Schuhnummer konnte stimmen. Und der Bart war einfach großartig, denn er verbarg beinahe die Hälfte des Gesichtes. Plötzlich blieb der Alte stehen, zog ein Päckchen aus der Tasche, zündete sich mit zitternden Händen eine Zigarette an und schnippte das Streichholz mit Zeigefinger und Daumen auf das Pflaster, genauso wie Onkel Bob es zu tun pflegte. Stubs grinste und flüsterte Robert zu: »Pass auf, jetzt gehe ich zum Angriff über.«

Mit wenigen Schritten war er neben seinem Opfer und begann, seiner Sache völlig sicher, ohne zu zögern: »Werden Sie denn den Weg zu Herrn Lyntons Haus auch allein finden? Andernfalls würde ich Sie gerne dorthin begleiten, das heißt, wenn es Ihnen recht ist.«

»Lass mich in Ruhe«, brummte der Alte, »was wollt ihr eigentlich von mir? Wollt ihr mir vielleicht verraten, aus welchem Grund ihr die ganze Zeit hinter mir herlauft?«

»Was für große Füße du hast«, fuhr Stubs, zum Duzen übergehend, ungerührt fort und schüttelte missbilligend den Kopf, »sie verraten dich doch immer! Aber die Idee mit dem Bart ist prima, du hättest nur lieber einen nehmen sollen, der die Füße verdeckt!«

Der alte Mann warf ihm einen giftigen und zugleich etwas ängstlichen Blick zu, beschleunigte, ohne zu antworten, seine Schritte, überquerte plötzlich die Straße und steuerte auf den großen, kräftigen Polizisten an der Ecke zu.

»Wachtmeister«, sagte er hastig, »notieren Sie sich bitte die Namen dieser Kinder und setzen Sie ihre Eltern davon in Kenntnis, dass sie mich belästigt haben.«

Der Polizist sah die drei erstaunt an. »Nanu, was wollt ihr denn von Herrn Holdsworth? Schämt ihr euch nicht, fremde Leute zu ärgern?« Und zu dem Alten gewandt, sagte er beruhigend: »Geht in Ordnung, ich werde gleich ein Wörtchen mit ihnen reden.«

»Ist er wirklich ein alter Mann?«, fragte Stubs verwirrt, während er dem aufgeregt vor sich hin Murmelnden nachsah. »Ich dachte, es wäre unser Onkel in Verkleidung. Ist es wirklich ein Herr Holdsworth?«

»Nun hör mal zu, mein Junge, du weißt doch ganz genau, dass er ebenso wenig dein Onkel ist, wie ich es bin. Ich glaube kaum, dass sich eure Eltern freuen würden, wenn ihnen zu Ohren käme, dass ihr alte Leute belästigt.«

»Es war nur ein Missverständnis, bestimmt!«, beteuerte Robert und Dina nickte eifrig: »Sehen Sie …«

»Geht nach Hause«, unterbrach der Polizist sie ungeduldig. »Ich habe keine Lust, mich noch länger um ungezogene Kinder zu kümmern. Das nächste Mal kommt ihr mir nicht so glimpflich davon.«

Er ging ein Stück die Straße hinunter, um einer alten

Frau beim Überqueren des Dammes behilflich zu sein, und die drei verschwanden mit hochroten Köpfen.

Schon von weitem entdeckten sie Dinas und Roberts Mutter im Vorgarten und Stubs schrie: »Wir waren auf dem Bahnhof, aber Onkel Bob ist nicht gekommen!«

»Das wundert mich gar nicht«, lachte sie, »ihr hättet nicht so davonstürzen und lieber zuhören sollen, als ich euch darauf aufmerksam machen wollte, dass er mit dem Wagen kommt.«

»Verdammt«, sagte Stubs, starrte seine Tante verblüfft an und warf den beiden anderen einen raschen Blick zu, »na ja, eine Blamage kommt selten allein!«

In diesem Augenblick hörten sie Motorengeräusch von der Straße her und eine Sekunde später hielt ein dunkelgrünes Cabriolet vor dem Haus. Die Kinder fuhren herum und jagten darauf zu.

»Onkel Bob, Onkel Bob, deinetwegen haben wir heute schon eine Menge Unannehmlichkeiten gehabt! Was hast du für einen prima Wagen! Komm herein, wir wollen gerade zu Mittag essen!«

# IV

## *Langeweile ist ungesund*

Onkel Bob war, abgesehen davon, dass er etwas blass aussah und etwas abgenommen hatte, ganz der Alte. Nach Stubs' Ansicht machte Tante Susanne viel zu viel Trara um die paar Pfunde, die ihr Bruder abgenommen hatte.

»Oh, Bob, was ist nur los mit dir? Du bist ja ganz abgemagert!«

»Aber Susanne«, widersprach er belustigt, »du übertreibst wieder einmal maßlos. Außerdem wirst du, wie ich dich kenne, diesem Zustand bald abgeholfen haben. Ich bin ein bisschen überarbeitet, das ist alles. In einer Woche werde ich wieder ganz in Ordnung sein, das heißt, wenn du mich so lange hier behalten willst.«

Frau Lynton lachte. »Ich werde es mir überlegen.«

»Na, ihr drei«, wandte er sich an die Kinder, »was habe

ich da vorhin gehört? Ihr hättet heute schon meinetwegen Unannehmlichkeiten gehabt?«

Anfänglich ein wenig verlegen und stockend, berichteten die drei von ihrer missglückten Detektivarbeit und der Onkel lachte schallend. »Ich merke schon, ich werde euch ein bisschen anlernen müssen, aber zuerst könnt ihr mir beim Auspacken helfen.«

Sie alle fanden es wunderbar, einen so seltenen Gast bei sich zu haben, und Stubs sagte mit leuchtenden Augen: »Weißt du übrigens, an was für einem wichtigen Tag du gekommen bist? Am ersten Ferientag!«

»Fein«, lachte der Onkel und gab ihm einen freundschaftlichen Klaps, »dann können wir zusammen ein paar Spaziergänge machen und Vögel beobachten. Du interessierst dich doch noch für alles, was kreucht und fleucht, ja, Dina?«

Dina strahlte. »Natürlich. Robert und ich hatten uns schon vorgenommen, allein loszugehen, aber mit dir ist es viel, viel schöner. Wir haben nämlich gehört, dass irgendwo in den Hügeln ein Sperber nistet, und wollten uns zu gerne das Nest ansehen.«

»Robert hat übrigens ein prima Fernglas«, mischte sich Stubs in die Unterhaltung, »ich wollte, ich hätte auch eines.«

»Ich kann dir meines leihen«, erbot sich Onkel Bob sofort. Unterdessen waren sie in Begleitung des freudig bellenden Lümmel in seinem Zimmer angelangt, nicht ohne auf der obersten Treppenstufe beinahe über Sardine gefallen zu sein, die dort, wie so oft, im Hinterhalt lag. »Bei euch ist es ja direkt lebensgefährlich«, lachte der Onkel, als er nun den Koffer öffnete, um das Glas herauszunehmen. »Ich schleppe immer eines mit mir herum, es ist mir bei meiner Arbeit recht nützlich. Aber jetzt habe ich ja Urlaub und brauche es nicht, und du kannst es gerne benutzen, wenn du mir versprichst, vorsichtig damit umzugehen; es ist ziemlich teuer gewesen.«

»Oh, vielen Dank!«, rief Stubs begeistert. »Weißt du, es ist nicht sehr angenehm, wenn man sich so ein Ding teilen muss. Es ist dann immer dasselbe, wenn Robert und Dina es gerade haben, möchte ich es auch haben, und wenn ich es habe…« Er ließ den Satz unvollendet und rief: »Oh, da ist es ja! Donnerwetter, das ist erstklassig! Tante Susanne wird dir bestimmt abraten, es mir zu borgen.«

Alle mochten Onkel Bob gern, aber Frau Lynton war, wie Robert sich etwas respektlos auszudrücken pflegte, »ganz verrückt mit ihm«. »Du müsstest öfter kommen«, sagte er grinsend, als sie wenig später um den festlich gedeckten Tisch versammelt saßen und Marie den Nachtisch, eine Platte mit sahnegefüllten Baisers, hereinbrachte, »dann gibt es immer etwas besonders Gutes. Wetten, dass wir, solange du bei uns bist, haufenweise Baisers bekommen, nur weil du sie so gern isst, stimmt's, Mutter?«

»Ich muss ihn doch ein bisschen verwöhnen«, entschuldigte sie sich lachend.

»Ich wollte, ich würde es auch«, seufzte Stubs, »kannst du mir nicht das Rezept verraten, wie man zum Hahn im Korb wird?«

»Sprechen wir lieber von etwas anderem«, lachte Onkel Bob, »wie sind denn eure Zeugnisse ausgefallen?«

»Wir haben sie noch nicht«, stöhnte Stubs, »stell dir vor, zwei Lehrer sind krank geworden und deshalb bekommen wir sie erst nach den Ferien und bis dahin können wir schmachten. Aber sprechen wir lieber von etwas anderem«, wiederholte er die Worte des Onkels, indem er, zu Dina und Robert gewandt, ein Auge zukniff, »sprechen wir lieber von Lümmel. Hilfst du uns, ihm ein paar Kunststücke beizubringen?«

»Mach ich, mach ich«, nickte Onkel Bob und nahm sich das zweite Baiser. »Ich fürchte, Susanne, dass, wenn Marie uns weiter so ausgezeichnet verpflegt, ich am Ende der Woche so dick bin, dass ich mir einen neuen Anzug kaufen muss.«

»Ich hatte daran gedacht, Lümmel beizubringen, jedem die Hausschuhe zu holen«, erklärte Stubs eifrig. »Stell dir vor, wie glücklich Onkel Richard sein wird, wenn er sie jeden Abend neben seinem Sessel vorfindet. Und dir, Tante Susanne, könnte er auch die Schuhe bringen, wenn du ausgehst nämlich. Das wäre doch sehr angenehm für dich, nicht wahr?«

Dina und Robert kicherten bei dem Gedanken, was für ein Gesicht ihr Vater machen würde, wenn sich Lümmel seiner Schuhe annähme, und Tante Susanne sagte belustigt: »Wie wäre es denn, wenn du ihn dazu anhieltest, sich die Pfoten auf der Matte abzuputzen? Das fände ich noch weitaus angenehmer, besonders für Marie und mich.«

»Wuff!« Lümmel spitzte die Ohren. Da wurde doch von ihm gesprochen? Er leckte erst seines Herrchens Hand und dann die Onkel Bobs, legte den Kopf mit sanftem Druck auf dessen Füße und seufzte zufrieden. Er war sehr einverstanden mit diesem Besuch!

War das ein Wunder? Onkel Bob verstand jeden Spaß und den Kindern erzählte er oft Interessantes von seiner Arbeit. Doch es gab auch Stunden, in denen er regungslos am Fenster saß und kaum davon Notiz nahm, wenn jemand das Zimmer betrat. Die drei wunderten sich sehr darüber, und eines Morgens, als Dina ihn um etwas bitten wollte und er sie gar nicht bemerkte, lief sie zu ihrer Mutter und fragte verwirrt: »Was ist eigentlich heute mit Onkel Bob los? Er hat überhaupt kein Wort mit mir gesprochen!«

»Du weißt doch, dass er überarbeitet ist und sich schonen muss«, antwortete die Mutter und fügte nach einer kurzen Pause nachdenklich hinzu: »Ruhe ist selbstverständlich gut und richtig, aber ich fürchte, es fehlt ihm doch etwas Beschäftigung. Er langweilt sich und wird dabei ganz trübsinnig. Ich wünschte, er hätte ein wenig Ablenkung, ich wünschte, es gäbe irgendetwas Interessantes, womit er sich befassen könnte, etwas, das ihn auf andere Gedanken bringt.«

»Aber was?«, fragte Dina ratlos, und Stubs, der unbemerkt das Zimmer betreten und aufmerksam zugehört hatte, rief mit dem Ausdruck tiefster Verachtung: »Räuber oder Kidnapper gibt's hier ja nicht, hier ist ja nie etwas los, außer dass Frau Lanes Wäsche von der Leine geklaut wird oder eine Schaufensterscheibe einge ...«

»Nein, nein«, unterbrach Tante Susanne ihn kopfschüttelnd, »an derartige Dinge denke ich natürlich nicht. Aber irgendeine Beschäftigung müsste er haben, es tut ihm

nicht gut, so von einem Tag zum anderen ganz ohne die gewohnte Arbeit zu sein.«

Bei diesen Worten zog Stubs seine dichten blonden Augenbrauen sorgenvoll zusammen und Dina rief eifrig: »Wir werden uns ein bisschen um ihn kümmern, ihn auf Spaziergänge mitschleifen und so. Frische Luft tut Wunder!«

»Frische Luft«, wiederholte Stubs wegwerfend, »die kann er auch haben, wenn er aus dem Fenster guckt. Nein, es müsste etwas ganz anderes sein.«

Tante Susanne lächelte über den Eifer ihres Neffen und

sagte: »Ich finde Dinas Vorschlag gar nicht so übel und meine, es ist tatsächlich das Beste, ihr kümmert euch ein bisschen um ihn. Wenn ich zu viel Wirbel um ihn mache, wird er nur nervös.«

Dina und Stubs liefen gemeinsam mit Lümmel hinaus. »Armer Onkel Bob«, sagte Dina, »er langweilt sich wohl sehr.«

»Und Langeweile ist ungesund«, nickte Stubs. »Na ja, vielleicht fällt uns ja irgendetwas ein, um seine Stimmung zu heben.«

Sie liefen weiter auf das Gartenhäuschen zu, an Osterglocken und Narzissen vorüber, ohne zu ahnen, welch wunderbare Idee Robert haben würde und welch unerwartete und seltsame Dinge daraus entstehen sollten!

# V

## *Eine wunderbare Idee*

Wie erwartet hielt Robert sich bei seinen Schützlingen, den Meerschweinchen, auf, und Stubs, noch atemlos vom Laufen, begann ohne Umschweife: »Du, Robert, wir brauchen deine Hilfe. Lass einmal einen Augenblick deine Borstentiere in Ruhe.«

»Nanu, was ist denn los?«, fragte Robert erstaunt, während er die Stalltür schloss. »Du siehst ja beinahe so besorgt aus wie bei der Zeugnisverteilung.«

»Mir ist auch so ähnlich zu Mute«, seufzte Stubs und begann hastig von Onkel Bob zu erzählen.

»Mutter denkt, er langweilt sich«, warf Dina erklärend ein, »weißt du, weil er seine Arbeit vermisst.«

»Hier gibt's ja leider nichts zu kombinieren, zu verfolgen und zu schnüffeln«, fuhr Stubs fort, »und Tante

Susanne hofft, wir drei könnten ihn ein bisschen in Schwung bringen. Vielleicht fällt dir ja etwas ein.«

»Das ist gar nicht so einfach«, entgegnete Robert stirnrunzelnd und fügte grinsend hinzu: »Für Meerschweinchen wird er sich ja wohl kaum interessieren. Übrigens, so langweilig ist es eigentlich gar nicht, sie zu beobachten. Seht einmal das da, das sich gerade die Ohren wäscht, so als ob ...«

»Hör auf«, unterbrach Dina ihn lachend, »wer hat schon Lust zuzusehen, wie sich Meerschweinchen die Ohren waschen? Mich erinnert es höchstens daran, dass Stubs sich seine auch einmal wieder waschen müsste, ehe Mutter etwas merkt.«

Stubs begnügte sich damit, ihr einen vernichtenden Blick aus seinen grünen Augen zuzuwerfen, denn er war der Ansicht, es ginge im Augenblick um Wichtigeres als darum, sich gegen derartige beleidigende Äußerungen zur Wehr zu setzen. So wandte er sich also von neuem eifrig an Robert: »Nein, es muss irgendetwas Aufregendes, Spannendes sein, etwas, wobei er seinen Grips anstrengen kann.«

»Seinen Grips anstrengen?«, wiederholte Robert und lachte. »Na, dann müssen wir eben einen Fall für ihn erfinden. Wie wär's mit ›Licht im alten ausgebrannten

Haus‹ oder ›Wer ist der Gefangene in der Höhle?‹ oder ›Woher kommen die seltsamen Geräusche mitten in der Nacht?‹«

»Ach, du bist ja verrückt, das geht doch nicht«, kicherte Dina, während Stubs seinen Vetter in Gedanken versunken anstarrte, plötzlich über das ganze Gesicht strahlte und ihm einen Stoß in die Seite gab.

»Ich finde deine Idee gar nicht so dumm, ich finde sie einfach toll!«

»Wuff«, machte Lümmel, der die Aufregung seines Herrchens spürte.

»Wir können doch nicht im Ernst so einen Quatsch in Szene setzen«, widersprach Robert kopfschüttelnd, »außerdem würde Onkel Bob sofort dahinterkommen.«

»Wuff«, machte Lümmel von neuem.

»Du sollst nicht immer dazwischenreden«, befahl Stubs, immer mehr in Eifer geratend. »Wir denken uns eine haarsträubende Geschichte aus; sie muss natürlich gut durchdacht werden. Wartet, ich will einmal überlegen.«

»Aber wir können ihn doch nicht so auf den Arm nehmen«, sagte Dina unsicher und Robert fügte hinzu: »Und abgesehen davon ist er viel zu intelligent, um auf so etwas hereinzufallen.«

Doch Stubs ließ sich nicht beirren. »Wir versuchen es eben. Hört zu, so ähnlich könnten wir es machen. Wir gehen mit ihm spazieren und vorher hinterlassen wir verschiedene verdächtige Spuren, die ihm auffallen müssen.«

»Du bist ja total verrückt«, kicherte Dina, während sich Robert nur noch ein mitleidiges Lächeln abringen konnte.

»Gar nicht! Wir könnten zum Beispiel irgendwo auf dem Weg einen Zettel mit einer Nachricht in Geheimschrift unterbringen, das ist doch sehr verdächtig. Und außerdem müsste er, wenn er durch das Fernglas sieht, irgendetwas Seltsames entdecken ...«

»Darf man vielleicht erfahren, was für seltsame Dinge er eigentlich entdecken soll?«, unterbrach Dina ihn spöttisch.

»Ach«, sagte Stubs unbestimmt, »irgendetwas, vielleicht Signale, Lichtsignale aus einem Fenster oder vom alten Turm auf dem Lerchenhügel. Onkel Bob wird das bestimmt sehr seltsam finden und versuchen herauszukriegen, was da los ist.«

»Ja«, grinste Robert, »er wird sehr schnell herauskriegen, dass da gar nichts los ist!«

»Du hast nur immer etwas dagegen«, brummte Stubs, »und dabei hat Tante Susanne doch gesagt, wir sollten uns um ihn kümmern, und du hast so eine wunderbare Idee gehabt, und nun willst du nicht mitmachen.«

Nachdem er seine ganze Überredungskunst aufgeboten hatte, gab Robert endlich, wenn auch nur zögernd, seinen Widerstand auf. »Also gut, wenn du dir so viel davon versprichst … aber dann müssen wir die Sache sehr sorgfältig vorbereiten, damit wir uns nicht gleich blamieren.«

»Und was ist, wenn Onkel Bob merkt, dass alles nur Quatsch war?«, wandte Dina ein.

»Er wird lachen«, sagte Stubs prompt, »halb tot wird er sich lachen. Glaubst du vielleicht, er ist so humorlos, dass er keinen Spaß versteht? Ha, wir werden den Detektiv wieder in ihm wecken, was, Lümmel?«

Lümmel ahnte zwar nicht im Geringsten, welch wichtige Dinge hier besprochen wurden, aber da er stets mit seinem Herrchen einer Meinung war, raste er begeistert bellend durch den Raum von einer Ecke zur anderen.

»Er sucht nach einem geheimnisvollen, dunklen Rätsel, das nur Onkel Bob lösen kann«, erklärte Stubs mit so hohler Stimme, dass der kleine Spaniel erstaunt aufhorchte und Robert lachen musste.

»Also gut, nun streng du dich an und denk dir etwas aus. Ich habe die Idee gehabt, jetzt bist du an der Reihe.

Und wann soll das vonstatten gehen? Nachts oder am Tag?«

»Ich für mein Teil hätte gegen eine nächtliche Unternehmung nicht das Geringste einzuwenden, nur Tante Susanne darf nichts davon erfahren«, sagte Stubs mit einem plötzlichen Glitzern in den Augen.

»Bloß nicht«, rief Dina entsetzt, »Mutter würde sehr böse werden und uns einen dicken Strich durch die Rechnung machen.«

»Worauf ihr euch verlassen könnt!«, nickte Robert. »Mir ist es überhaupt noch ziemlich schleierhaft, wie der ganze Krimi über die Bühne gehen soll.«

»Das werde ich mir heute Abend im Bett alles ganz genau überlegen«, versicherte Stubs beruhigend, »im Bett habe ich immer die besten Ideen. Passt auf, das werden prima Ferien, wir werden uns wunderbar amüsieren. Übrigens will ich Lümmel etwas Neues beibringen, habt ihr Lust, mir dabei zu helfen? Zuerst soll er einmal lernen, Hausschuhe zu apportieren. Ein bisschen hat er den Dreh schon heraus, jedenfalls hat er begriffen, was ich will.«

»Tatsache? Ja, ja, er ist ein kluger Hund«, lobte Robert und Dina strich zärtlich über Lümmels seidiges Fell.

Und während der nächsten halben Stunde hallte das

Haus wider von lauten Befehlen: »Hol Tante Susannes Schuhe! Lauf, Lümmel! So ist's schön! Und nun Onkel Richards, mein Liebling! Passt auf, gleich bringt er sie.«

Und da kam er schon die Treppe heruntergerast, einen von Onkel Bobs Hausschuhen in der Schnauze, legte ihn voller Stolz vor seines Herrchens Füße und wedelte begeistert.

»Idiot«, murmelte der, »ich habe gesagt, Onkel Richards Schuhe! Los, hol sie!«

Von neuem jagte Lümmel die Treppe hinauf, dieses Mal mit hängenden Ohren, und nach wenigen Sekunden kam er, über die langen Schnürbänder stolpernd, mit einem von Stubs' Fußballstiefeln zurück.

»Er ist wirklich sehr klug«, stellte Robert grinsend fest, und Stubs, ohnehin wütend über das Versagen seines Lieblings, wurde nur noch wütender.

»Ich begreife das überhaupt nicht. Vorhin hat er sie doch immer gebracht!«

In diesem Augenblick hörten sie Onkel Richards Stimme: »Stubs, würdest du bitte so freundlich sein und dafür sorgen, dass dein Hund seine fruchtlosen Bemühungen aufgibt, mir die Hauschuhe von den Füßen zu ziehen? Wenn ich dir auch gern gefällig wäre, ich kann sie im Augenblick wahrhaftig nicht entbehren.«

»Na also!«, seufzte Stubs erleichtert. »Das war's, er konnte sie nur nicht kriegen. Oh, Lümmel, du bist klüger als wir alle zusammen!«

# VI

## *Du wirst dich wundern, Stubs*

Ohne wie gewöhnlich besonders dazu aufgefordert werden zu müssen und ohne auf Dina und Robert zu warten, verschwand Stubs an diesem Abend sehr zeitig, denn er wollte in Ruhe nachdenken.

Tante Susanne war sehr erstaunt, als er sich mit einem flüchtigen Kuss verabschiedete. »So früh willst du schon zu Bett gehen, mein Liebling?«, wunderte sie sich und betrachtete ihn besorgt. »Fühlst du dich nicht gut?«

»Ach wo, mir geht's großartig«, beruhigte er sie und fügte mit einem bedeutsamen, nur für Dina und Robert bestimmten Augenzwinkern hinzu: »Ich muss nur unbedingt scharf über etwas nachdenken, das ist alles! Gute Nacht, Tante Susanne, gute Nacht, Onkel Richard, komm, Lümmel!«

Lümmel sprang auf, versuchte jedem die Hand zu lecken und stürzte hinter seinem Herrchen her.

»Er wird wohl doch müde sein«, sagte Tante Susanne, aber mit dieser Vermutung hatte sie Unrecht.

Stubs, damit beschäftigt sich auszuziehen, war hellwach und sein Gehirn in fieberhafter Tätigkeit, um irgendeinen tollen Plan auszuhecken. Lümmel wunderte sich sehr über die Schweigsamkeit seines Herrn, der sich für gewöhnlich angeregt mit ihm unterhielt. Heute jedoch schien er ihn ganz vergessen zu haben.

Nicht weniger besorgt als eben Tante Susanne sah der kleine Spaniel zu ihm auf. War er, Lümmel, aus einem ihm unerklärlichen Grund in Ungnade gefallen? Auch er versank nun in tiefe Gedanken, um zu überlegen, auf welche Weise man zu einer Versöhnung beitragen könnte. Und plötzlich jagte er eifrig wedelnd aus dem Zimmer und kam gleich darauf mit einem Schuh von Onkel Bob zurück. Doch Stubs merkte nichts von diesen Bemühungen, und Lümmel verschwand von neuem, um Onkel Richards Hausschuhe zu holen. Aber auch dieses Mal hatte er nicht den geringsten Erfolg. Und so lief er wieder davon.

Geistesabwesend putzte Stubs sich die Zähne, wusch sich, bürstete sich die Haare und griff dann zum zweiten

Mal nach der Zahnbürste. Und dieser Umstand versetzte Lümmel in maßlose Verwunderung. War sein Herrchen krank?

Doch seine Befürchtungen erwiesen sich als unbegründet, denn als Stubs die Nachttischlampe ausknipsen wollte, entdeckte er die Ansammlung von Schuhen auf dem Bettvorleger, davor den traurig und verloren vor sich hin starrenden Lümmel und rief: »Ach, mein Liebling, nicht ein einziges Wort habe ich mit dir gesprochen, und du hast gedacht, ich wäre böse mit dir, nicht wahr? Das bin ich natürlich nicht, du bist der beste Hund der Welt!«

Lümmel gebärdete sich wie verrückt vor Freude. Laut bellend jagte er durchs Zimmer, schlug sich die Schuhe einen nach dem anderen um die Ohren und landete endlich mit einem Satz auf Stubs' Bauch.

»Puh«, stöhnte der, »musst du es dir ausgerechnet auf meinem Magen bequem machen? Leg dich ans Fußende, sonst wirft Tante Susanne dich hinaus. Und all die vielen Schuhe, die du angeschleppt hast, die musst du alle wieder zurückbringen.«

Aber das war etwas, was Lümmel noch nicht gelernt hatte. Er machte also keinerlei Anstalten, diesem Befehl Folge zu leisten, sondern leckte nur ab und zu liebevoll

Stubs' Hand. Der gab es auf und murmelte: »Dann muss ich sie eben morgen früh selber forträumen. Und jetzt musst du ganz still sein, ich bin nämlich noch nicht fertig mit Nachdenken.«

Lümmel gehorchte ausnahmsweise augenblicklich, denn er war müde, und Stubs begann von neuem zu überlegen. Es musste etwas ganz Großartiges werden, irgendetwas Seltsames, Unheimliches, irgendetwas, das Onkel Bob aufmerksam werden ließ und ihn in Atem hielt.

Und plötzlich musste er an das alte ausgebrannte Haus denken. Ja, das war der richtige Ort für derartige Dinge. Er dachte an die geschwärzten, halb eingefallenen Mauern und an den alten Turm mit der Wendeltreppe und an die Keller, die Dina, Robert und er sich schon immer gern einmal angesehen hätten.

Ja, das alte Haus musste eine Rolle in der Geschichte spielen! Stubs berauschte sich förmlich an diesem Gedanken. Und irgendwelche Hinweise mussten Onkel Bob dorthin lotsen. Natürlich zuerst eine Nachricht in Geheimschrift. Er würde sie finden und den Code herauskriegen und dann müsste man nachts Lichtsignale vom Turm aus geben. Das konnte Robert übernehmen, er hatte eine prima Taschenlampe. Und wie wär's mit Geräuschen? Geräusche machten sich immer gut. Dina könnte sich irgendwo verstecken und grässlich stöhnen; wunderbar!

Stubs überlegte einen Augenblick, ob er noch einmal zu den beiden hinüberlaufen sollte, aber nein, sie schliefen sicher schon und dann weckte sie so leicht nichts.

Seine Aufregung wuchs von Minute zu Minute, und bei dem Gedanken, welch großartigen Fall Onkel Bob demnächst zu bearbeiten haben würde, brachte er es einfach nicht mehr fertig still zu liegen, warf sich von einer Seite auf die andere und Lümmel hatte bald genug davon, sich ständig in Sicherheit bringen zu müssen, verließ kurz entschlossen seinen Platz und legte sich neben die Schuhe.

»Morgen fangen wir gleich an«, murmelte sein Herrchen und flüsterte, als er einen Augenblick später leise Schritte auf dem Flur hörte: »Pst, Tante Susanne kommt, mach dich unsichtbar, mein Liebling, sonst hält sie dir noch eine Strafpredigt, nämlich wegen der Bescherung hier.«

Kaum war Lümmel unter dem Tisch verschwunden, als Frau Lynton die Tür öffnete und ein breiter Lichtstreifen auf die Ansammlung der unterschiedlichsten Fußbekleidungen, die beredten Zeugen von Lümmels Bemühungen um die Gunst seines Herrchens, fiel. »Du lieber Himmel, hier sieht's ja aus wie in einem Schuhgeschäft«, dachte sie, »hier also sind Maries Pantoffeln.« Kopfschüttelnd bückte sie sich, um sie aufzuheben, und legte dann, noch immer besorgt seines vorzeitigen Verschwindens wegen, die Hand auf Stubs' Stirn. Doch die war ganz kühl und beruhigt wandte sie sich zum Gehen, nicht ohne auch noch ihres Mannes Schuhe mitgenommen zu haben.

Sobald sie die Tür hinter sich geschlossen hatte, schoss Lümmel unter dem Tisch hervor, war mit einem Satz wieder auf dem Bett und in Sekundenschnelle eingeschlafen, nachdem er einen langen, zufriedenen Seufzer von sich gegeben hatte.

Stubs strich zärtlich über sein Fell und überdachte dann noch einmal alles. Doch nun war auch er müde geworden und seine Gedanken begannen sich zu verwirren. Plötzlich war er in dem alten ausgebrannten Haus und stieg die gewundene Treppe im Turm hinauf, denn ein Licht blinkte dort oben in regelmäßigen Abständen. Nein, kein Licht, es waren zwei grüne Augen, Sardines Augen. Sie wurden größer und größer und Stubs floh vor ihnen hinunter in die Keller. Aber dort empfingen ihn so grässliche Geräusche, dass ihm die Haare zu Berge standen.

Er versuchte zu schreien, erwachte und fand sich aufrecht im Bett sitzend, sein Kopfkissen fest an sich gepresst.

»Es war nur ein Traum«, seufzte er erleichtert, »verdammt, habe ich Angst gehabt! Wenn unser ausgedachter Fall genauso aufregend wird, können wir zufrieden sein. Verschwinde von meinen Füßen, Lümmel, jetzt weiß ich auch, warum ich so schwer weitergekommen bin, als ich die Treppe hinunterlief, weil du die ganze Zeit auf meinen Füßen gelegen hast!«

Lümmel erhob sich bereitwillig und knurrte leise, als eine Eule im Garten schrie, während Stubs sich zur Wand drehte. Er war wieder hellwach und wünschte sehnlichst, die Nacht wäre vorüber.

»Ha, Onkel Bob, du ahnst nicht, was dir bevorsteht!«

Du wirst dich wundern, Stubs!

# VII

## *Chinesisch rückwärts*

Als Stubs am nächsten Morgen erwachte, galt sein erster
Gedanke selbstverständlich dem in der Nacht gefassten
Plan, und während er sich mit einem Ruck aufrichtete,
murmelte er zu Lümmel gewandt: »Ja, ja, ich komme
schon.«

Denn Lümmel war eifrig darum bemüht, sein Herrchen darauf aufmerksam zu machen, dass er in den Garten hinausgelassen werden wollte, indem er vergeblich
versuchte, ihm das Oberbett fortzuziehen.

»Hol mir meine Schuhe, die Halbschuhe, du Idiot,
nicht die Stiefel!«

In Sekundenschnelle war Stubs angezogen und jagte
gemeinsam mit seinem Liebling zur Tür hinaus, wo sie
Marie, die gerade den Flur bohnerte, beinahe umrissen.

»Ihr habt's wohl mal wieder sehr eilig?«, brummte sie kopfschüttelnd. »Wirst du wohl meinen Besen in Ruhe lassen, Lümmel. Du liebe Zeit, jetzt will er mit dem Staubtuch auf und davon. Wenn er damit verschwindet, dann ...«

»Gib es her«, befahl Stubs, und da Lümmel aufs Wort gehorchte, meinte sein Herrchen grinsend: »Da siehst du, was für ein gut erzogener Hund er ist. Und wann gibt's Frühstück? Ich wollte nämlich vorher noch etwas Wichtiges erledigen.«

»Du hast genau zehn Minuten Zeit für deine wichtige Angelegenheit. Nein, dieses Tier, jetzt hat es doch meinen Bohnerlappen beim Wickel!«

Stubs lachte, jagte hinter Lümmel her und sorgte dafür, dass er seine Beute zurückbrachte.

Dann klopfte er an die Tür zu Roberts Zimmer, bekam aber keine Antwort. Bei Dina hatte er mehr Glück, sie war gerade dabei, sich ihr volles dunkles Haar zu bürsten. »Hallo, Dina«, rief er, »weißt du, wo Robert sich aufhält? Ich habe mir nämlich heute die Nacht um die Ohren geschlagen und mir etwas Tolles einfallen lassen!«

Dina warf einen letzten Blick in den Spiegel, betrachtete Stubs prüfend und sagte kichernd: »Du siehst auch ganz übernächtigt aus. Hoffentlich hat sich die Anstren-

gung wenigstens gelohnt. Ich bin schon sehr gespannt. Robert ist übrigens im Gartenhäuschen.«

Wie verrückt vor Freude schoss Lümmel ihnen voran die Treppe hinunter, scheuchte Sardine von einer der Stufen und jagte sie vor sich her bis in die Diele, wo sie sich mit einem Satz auf die Kommode rettete und fauchend auf ihn herabstarrte. Bei seinen vergeblichen Versuchen, ihrer habhaft zu werden, hatte er sich so lange aufgehalten, dass er zu guter Letzt hinter den Kindern herjagen musste und sie erst in dem Augenblick erreichte, als sein Herrchen die Tür zum Sommerhäuschen aufriss und schrie: »He, Robert, mir ist etwas eingefallen! Etwas ganz Tolles! Damit bringen wir Onkel Bob garantiert in Schwung! Es wird bestimmt ...«

»Mach erst einmal die Tür zu«, unterbrach Robert ihn grinsend.

Stubs war schon im Begriff aufzubrausen, denn Befehle hörte und befolgte er nicht allzu gern, doch dann besann er sich eines Besseren und stimmte eifrig zu: »Richtig, Onkel Bob könnte uns ja überraschen. Vielleicht ist es überhaupt das Beste, Lümmel bleibt draußen und hält Wache.«

Und so begann er, vor unliebsamen Zuhörern geschützt, seinen Plan zu erläutern. Als er aber Robert den

Vorschlag unterbreitete, nachts vom alten Turm aus Lichtzeichen zu geben, widersprach der energisch: »Nein, das werde ich nicht tun und du auch nicht! So ein Unfug kommt gar nicht in Frage!«

Stubs hielt es für ratsamer, jetzt keine Einwände zu erheben, und so fuhr er mit einer großartigen Handbewegung fort: »Einzelheiten besprechen wir später. Zuerst müssen wir natürlich die Nachricht in Geheimschrift verfassen und dann machen wir mit Onkel Bob einen Spaziergang in die Berge und unterwegs findet er ... Ach«, unterbrach er sich nach einem Blick auf seine Uhr, »wir müssen ja zum Frühstück, die zehn Minuten sind um. Überlegt euch schon einmal, was wir schreiben wollen.«

Sie jagten mit Lümmel davon und schafften es gerade noch, rechtzeitig am Frühstückstisch zu erscheinen.

»Ihr seid ja ganz außer Atem«, sagte die Mutter erstaunt, »habt ihr etwa schon einen Dauerlauf hinter euch?«

»So ungefähr«, lachte Robert, »wir waren im Gartenhäuschen und sind so gerannt, weil wir nicht zu spät kommen wollten.«

»Es wäre ja nicht das erste Mal«, ließ sich der Vater hinter seiner Zeitung vernehmen.

»Wir hatten etwas sehr Wichtiges zu besprechen«, erklärte Dina entschuldigend und fragte dann ihre Mutter: »Hast du heute Morgen etwas für uns zu tun? Sonst hätten wir nämlich Onkel Bob gebeten, mit uns zum Lerchenhügel zu gehen, um Vögel zu beobachten.«

»Ja, tut das nur«, war die erfreute Antwort, »es ist solch ein herrlicher Tag und die frische Luft wird ihm gut tun.«

Ein paar Minuten später erschien er, wirkte aber ziemlich unlustig. »Guten Morgen. Nein, danke, kein Brötchen für mich, nur eine Tasse Kaffee. Ich fühle mich heute nicht besonders, habe wenig geschlafen diese Nacht, diese grässlichen Eulen, sie schreien und schreien.«

»Ich höre sie gar nicht mehr«, sagte Frau Lynton. »Armer Kerl, du siehst wirklich ganz elend aus.«

»Geh doch mit uns spazieren«, schlug Stubs eifrig vor. »Vielleicht sehen wir den Sperber und du wolltest mir doch auch dein Fernglas borgen.«

Onkel Bob zögerte zunächst ein wenig, gab dann aber dem Drängen der Kinder nach. »Ein bisschen Bewegung wird das Richtige für mich sein. Und wann soll's losgehen?«

»Würde es dir«, begann Stubs stockend und überlegte fieberhaft, wie viel Zeit sie brauchen würden, um die Nachricht zu verfassen, »würde es dir um zehn Uhr passen?«

»Sehr schön. Ich hole also gleich nach dem Frühstück das Fernglas aus dem Koffer. Wie ist es, kommt Lümmel auch mit? Hoffentlich jagt er nicht wieder wie ein Wilder durch die Gegend und verscheucht sämtliche Vögel!«

»Natürlich kommt er mit«, sagte Stubs, der in diesem Augenblick einen sanften Druck auf seinem Fuß verspürte, beugte sich zu seinem Liebling hinunter und flüsterte ihm zu: »Hast du gehört, du musst sehr artig sein!«

»Wuff«, machte Lümmel zum Zeichen des Einverständnisses und wedelte begeistert mit dem Schwanz.

Stubs beendete hastig sein Frühstück, in Gedanken schon mit dem Text der Nachricht beschäftigt, und erkundigte sich höflich: »Dürfen wir aufstehen, wir haben noch etwas Wichtiges vor, ehe wir gehen.«

»Lauft nur«, nickte Tante Susanne, »aber vergesst nicht, erst eure Betten zu machen.«

Während Dina und sogar Robert sich ihrer Aufgabe mit Sorgfalt entledigten, begnügte sich Stubs damit, in aller Eile das Betttuch glatt zu ziehen und das auf den Boden gefallene Oberbett mit genialem Schwung wieder hinaufzubefördern. Dann riss er eine Seite aus einem alten Heft, setzte sich an den Tisch und kaute nachdenklich an seinem Bleistift. »Gar nicht so einfach«, dachte er, »es ist

besser, ich gehe gleich zu den anderen und wir erledigen das zusammen.«

Und eine Sekunde später erschien er in Roberts Zimmer und stöhnte. »Allein kriege ich die Geheimschrift nie zu Stande, wenn wir nur ...«

»Mach dir keine Sorgen«, unterbrach Robert ihn schnell, »ich habe mir schon eine ausgedacht, nichts Besonderes, aber immerhin, sieh es dir einmal an.«

Mit diesen Worten wies er auf ein Stück Papier und Stubs begann kopfschüttelnd zu buchstabieren:


»TBHF KJN XJS TJOE CFSFJU USDGGQVOLU LFMMFS XBSF JN MFSDIFOIVFHEM WFSTUFDLU BDIUF BVG MJDIUTJHOBM WPN UVSN IBSSZ.«


»Du lieber Himmel«, staunte Dina, die unbemerkt hereingekommen war, »ist das Chinesisch rückwärts? Und was soll der Quatsch heißen?«

»Ganz einfach«, erklärte Robert, »es heißt: ›Sage Jim, wir sind bereit. Treffpunkt Keller. Ware im Lerchenhügel versteckt. Achte auf Lichtsignal vom Turm, Harry.‹ Es ist eine ganz simple Sache. Ich habe nur statt des richtigen Buchstabens den nächsten genommen, für A B, für B C und so weiter. Versuch mal, das erste Wort so zu lesen.«

»Also, für das S ein T, für das A ein B, für das G ein H und für das E ein F. Prima, wenn man's weiß, geht's ganz leicht.«

»Beinahe zu leicht«, bestätigte Robert, »aber mir ist leider in der Eile nichts Besseres eingefallen.«

»Ist doch auch egal«, schrie Stubs begeistert, »die Nachricht ist jedenfalls wunderbar, richtig aufregend! Nur das Papier muss noch anders aussehen, nicht so sauber und nicht so glatt.« Mit diesen Worten schob er es kurz entschlossen unter seinen Schuh, bewegte den Fuß einige Male hin und her und betrachtete dann sein Werk voller Zufriedenheit. »Gut, was? Wenn Onkel Bob diesen schmutzigen Fetzen findet, muss er doch irgendetwas wittern, nicht?«

»Prima, wirklich prima, wie du das gemacht hast«, lobte Dina und fügte, da sie der Versuchung, ihren Vetter ein wenig zu ärgern, nicht widerstehen konnte, lachend hinzu: »Aber eigentlich ist es ja gar kein Wunder bei deinem Talent, alles dreckig zu machen.«

Stubs rümpfte nur verächtlich die Nase und fuhr eifrig fort: »Passt auf, in einem unbeobachteten Augenblick lässt einer von uns das Ding fallen, und dann wird Onkel Bob es schon sehen und aufheben, und wenn nicht, dann mache ich es eben und tue so, als ob ich furchtbar erstaunt

wäre, und zeige es ihm und dann wird er die Schrift entziffern und dann geht's los!«

Stubs' Augen leuchteten. »Wir werden die Keller un-
tersuchen und den Hügel nach der Ware durchkämmen
und dann werden wir ...«

»... uns jetzt beeilen müssen«, vollendete Robert grinsend diese Ausführungen. »Es ist nämlich gleich zehn
Uhr. Vielleicht wartet Onkel Bob schon an der Gartentür.
Ich bin nur gespannt, ob er uns wirklich auf den Leim
geht!«

# VIII

## *Nur ein Schuljungenstreich*

Wie abgeschossen jagte Stubs mit Lümmel davon, um festzustellen, ob Onkel Bob für ihren Spaziergang zum Lerchenhügel bereit war. Ja, da stand er schon, das Fernglas an einem Riemen über der Schulter, ungeduldig wartend am Gartentor.

»Na, da bist du ja endlich«, sagte er lächelnd, »und wo bleiben die anderen?«

»Die kommen gleich, ich bin nur vorausgelaufen. Soll ich noch schnell mein Vogelbuch holen?«

»Nicht nötig, ich kann euch alles erklären, was ihr wissen möchtet. Wir wollen lieber gehen, da sind Dina und Robert ja schon.«

Voller Erwartung und Spannung machten sich die Kinder an der Seite ihres ahnungslosen Opfers auf den Weg.

Endlich waren sie am Fuße des Lerchenhügels angelangt und bogen zunächst in einen schmalen Pfad ein, Lümmel immer ein Stück voraus, auf der Jagd nach Kaninchen.

Rund um sich her hörten sie das Singen und Zwitschern unzähliger Vögel und Onkel Bob blieb stehen und lauschte. »Das ist ein Buchfink, hört ihr? Und das ein Grünfink und das eine Grasmücke. Und wer ist das, der alle anderen übertönt?«

»Der Zaunkönig!«, rief Dina. »Da, da sitzt er, dort drüben! Komisch, er ist so klein und singt so laut.«

Es war herrlich über den Hügel zu wandern. Sie gingen nun querfeldein zwischen Büschen und Sträuchern hindurch und wieder blieb Onkel Bob stehen. »Eine Nachtigall! Dort oben im Hagedornbusch sitzt sie.«

»Ich denke, sie singt nur abends«, sagte Stubs erstaunt.

»O nein, auch am Tag, aber die wenigsten hören ihren Gesang aus dem der vielen anderen Vögel heraus. Wir sollten einmal abends hierher gehen, um ihr ungestört lauschen zu können.«

Stubs versetzte Robert heimlich einen Rippenstoß und grinste. Das passte ja wunderbar in ihren Plan! Vielleicht ließ es sich dann doch einrichten, dass Robert oder er sich ungesehen zum alten Turm schlichen und Lichtsignale gaben, während die anderen der Nachtigall zuhörten.

Nie würde Onkel Bob auf den Gedanken kommen, dass sie diese Geschichte in Szene gesetzt hatten, bestimmt würde er denken, dass in dem alten Kasten irgendetwas los war!

Sie gingen weiter, und nach einer Weile meinte Stubs, es sei nun wohl an der Zeit, den schmutzigen Papierfetzen irgendwo fallen zu lassen. Er stieß Robert also an und der versenkte die Hand in der Hosentasche und nickte.

Er ging ein Stück voraus und entdeckte plötzlich in

einem Busch ein Buchfinkennest. Das war günstig! Auf diese Weise konnte man es einrichten, dass Onkel Bob das Papier auf alle Fälle fand.

Vorsichtig bog er die Zweige auseinander und steckte es zwischen das Laub neben dem kunstvollen Geflecht. Und dann rief er: »Komm einmal her, Stubs, hier ist ein ganz neues Nest, noch ohne Eier! Onkel Bob weiß sicher, was es für eines ist. Es sieht aus wie ein Buchfinkennest.«

Onkel Bobs Interesse war sofort geweckt, er beschleunigte seine Schritte und beugte sich einen Augenblick später über den Busch.

»Ja, du hast Recht, es gehört einem Buchfinken. Wie sorgfältig es gebaut ist, seht nur, der Vogel hat sogar kleine Papierfetzen hineingeflochten. Ich wundere mich, dass er den nicht auch genommen hat, der dort zwischen den Zweigen hängt.«

Und zu der Kinder größtem Entzücken griff er nach ihrer so raffiniert verfassten Nachricht und wollte den Zettel gerade zerknüllen, als er die Schrift entdeckte.

»Nanu, was ist denn das?«, sagte er erstaunt. »Chiffrierte Schrift?«

»Tatsache!«, staunten die drei, reckten die Hälse und Stubs rief: »Und was soll das heißen?«

»Ich muss erst den Code herausbekommen. Er scheint

74

übrigens ziemlich einfach zu sein. Seht ihn euch einmal an, wenn ihr Lust habt, ich bin heute zu faul dazu.«

Die Jungen überlegten ein wenig ratlos, wie sie sich nun verhalten sollten. Wenn sie den Code herausbekamen, würde Onkel Bob auf jeden Fall etwas merken. So begannen sie also, nebeneinander im Gras hockend, unter ständigem Kopfschütteln und hilflosem Achselzucken stockend zu buchstabieren, um den Anschein zu erwecken, als bereite es ihnen unüberwindliche Schwierigkeiten, diese Hieroglyphen zu entziffern.

»Seht euch erst einmal ein Wort mit zwei gleichen aufeinanderfolgenden Buchstaben an«, riet der Onkel und blinzelte müde in die Sonne. »Es gibt eine ganze Menge in der Art, wie zum Beispiel: Butter, Futter, Kutter und so weiter.«

»Oder mit Doppel-l«, rief Stubs, »Teller, Heller ...«

»... Keller«, fügte Robert hinzu und es klang wahrhaftig so, als wäre ihm dieses Wort eben erst eingefallen, »Keller könnte es doch auch heißen, nicht wahr?«

»Tatsächlich, da könntest du Recht haben«, nickte Onkel Bob und griff nach dem Zettel. »Dann wäre es so, dass jeder Buchstabe durch den nächstfolgenden im Alphabet ersetzt werden muss. Nun, wir wollen es einmal versuchen. Das erste Wort ist TBHF, wir werden jetzt für das

T ein S setzen, für das B ein A, für das H ein G und für das F ein E. Das Wort heißt also ›sage‹, das könnte stimmen.«

»Ja«, schrie Robert, »und dann heißt das zweite ›Jim‹. Klar, das muss stimmen! Toll, wie du das herausbekommen hast!«

Er strahlte so begeistert, dass Stubs und Dina ihn überrascht von der Seite ansahen. Du lieber Himmel, Robert war ja ein großartiger Schauspieler, kein Mensch wäre auch nur im Traum auf den Gedanken gekommen, dass er die Nachricht selber verfasst hatte.

Onkel Bob sah erstaunt auf das Stück Papier in seiner Hand und runzelte die Stirn. »Hm«, murmelte er endlich, »es stimmt tatsächlich. Ein recht einfacher Code übrigens. Ich werde euch jetzt die ganze Sache einmal vorlesen.«

Die beiden Jungen starrten angestrengt auf ihre Schuhspitzen und Dina, mit hochrotem Kopf, unterdrückte nur mit Mühe ein Kichern. Da war er ihnen also doch auf den Leim gegangen!

Mit gespieltem Interesse, einander heimlich anstoßend, hörten sie nun zu, wie er ihnen ihren Text langsam vorlas.

»Sage Jim, wir sind bereit, Treffpunkt Keller. Ware im Lerchenhügel versteckt. Achte auf Lichtsignal vom Turm, Harry.«

Wieder betrachtete er stirnrunzelnd die Schrift. »Wie kann man für eine derartige Nachricht einen so einfachen Code benutzen? Nun, möglicherweise handelt es sich ja um einen Scherz, es fragt sich nur, wie der Wisch ausgerechnet hierher kommt!«

»Wahrscheinlich durch den Wind«, sagte Dina, »oh, ich finde es furchtbar aufregend!«

Onkel Bob steckte den Zettel in die Tasche, warf den dreien einen prüfenden Blick zu und lächelte: »Also schön, ich werde darüber nachdenken.«

»Könnten wir nicht nach der Ware suchen, die hier auf dem Hügel versteckt sein soll?«, fragte Stubs hastig, denn er befürchtete und das nicht ganz zu Unrecht, Onkel Bob würde die ganze Angelegenheit tatsächlich als einen Scherz abtun. »Vielleicht finden wir ja etwas, gestohlene Sachen, Geld oder so.«

»Ja und wir könnten uns auch einmal die Keller in dem alten, abgebrannten Kasten ansehen«, schlug Robert, der wohl begriff, welche Ängste seinen Vetter nun plagen mussten, vor. »Ich möchte wetten, dass die damit gemeint sind, denn einen Turm gibt's da auch, wie geschaffen zum Signalisieren!«

»Man kann den Turm übrigens auch von unseren Fenstern aus sehen«, sagte Dina und stieß Stubs heimlich an,

»wir könnten ja nachts einmal aufpassen, ob sie wirklich Lichtzeichen geben.«

»Na, ich weiß nicht«, lachte Onkel Bob, »es wird wohl nichts dahinter stecken. Wahrscheinlich ist es doch nur ein Scherz. Ich werde mir die Angelegenheit natürlich trotzdem noch einmal durch den Kopf gehen lassen, aber inzwischen wollen wir uns noch ein wenig mit den Vögeln beschäftigen, ja?«

»Ach, lass uns doch hingehen«, bettelte Stubs, »es ist bestimmt furchtbar interessant. Und der Turm ist noch ganz in Ordnung und die Keller auch, wenn auch fast alle Mauern eingefallen sind.«

»Gut, dann müssen wir also die vermeintliche Räuberhöhle in Augenschein nehmen«, entschied der Onkel endlich lächelnd, »aber ich denke, dass es mit diesem Zettel nichts auf sich hat. Wohl ein Schuljungenstreich.«

Wieder sah er die drei an, und wieder lächelte er, dieses Mal, wie es Stubs schien, etwas amüsiert. »Aber ich merke, ihr möchtet zu gerne ein bisschen da oben herumstöbern, also kommt!«

Die Kinder liefen hinter ihrem Onkel her, der schon den Hügel weiter hinaufstieg. »Glaubst du, dass er uns in Verdacht hat?«, flüsterte Stubs. »Ich meine, wegen des Schuljungenstreichs?«

Robert schüttelte den Kopf. »Wenn er wirklich an so etwas denkt, muss er doch nicht unbedingt uns verdächtigen, Schuljungen gibt's wie Sand am Meer!«

»Da hast du auch Recht«, sagte Stubs, schnell getröstet, und rief gleich darauf: »Lümmel, du wirst dir nie im Leben einen Kaninchenbau von innen ansehen können. Hast du denn immer noch nicht begriffen, dass deine Bemühungen vollkommen sinnlos sind? Wir gehen jetzt in die alten Keller, das ist viel eher etwas für dich. Vielleicht findest du da eine Ratte!«

Eine Ratte? Das ließ sich hören! Lümmel jagte davon, in der Hoffnung, dort unten tatsächlich eines dieser angenehmen Tiere zu treffen!

# IX

## *... finster und schaurig*

Sie gingen einen völlig mit Unkraut bewachsenen Pfad entlang und gelangten endlich an ein schmiedeeisernes Tor, das schief in den Angeln hing und von dem aus ein breiter, gleichfalls von Unkraut überwucherter Weg zum Haus auf dem Gipfel führte.

»Wie verwildert der Garten ist«, sagte Onkel Bob, »und wie trostlos und verlassen alles aussieht.«

»Warte nur, bis erst der alte Kasten auftaucht«, sagte Stubs, »von dem kannst du träumen!«

Sie gingen weiter durch hohe Brennnesseln, an einer Gruppe von Kiefern vorüber und dahinter, vor dem Wind geschützt, erhoben sich die geschwärzten Mauern des ehemaligen Herrenhauses.

Onkel Bob blieb stehen. Von dort unten war ihm das

81

alte Gebäude wie eine jämmerliche Ruine erschienen, aber hier oben, so nahe, wirkte es mit seinem hoch in den Himmel ragenden Turm beinahe erschreckend. »Es hat etwas Gespenstisches«, murmelte Robert nachdenklich.

»Ja, es hat etwas Düsteres und Finsteres, tatsächlich etwas Gespenstisches, wie du ganz richtig sagst.«

»Ragende Mauern, düster und traurig, Gespenster dort

lauern, finster und schaurig«, deklamierte Stubs ganz unerwartet.

Alle starrten ihn verwundert an. »Das ist ja ein Gedicht«, grinste Robert, »das hast du doch nicht etwa selbst gemacht?«

»Doch«, sagte Stubs, nicht weniger erstaunt darüber als seine Zuhörerschaft, und grinste verlegen.

»Nun«, lachte Onkel Bob, »von dir oder nicht von dir, es trifft die Atmosphäre jedenfalls ausgezeichnet. Aber du solltest uns das nächste Mal seelisch darauf vorbereiten, wenn du wieder dichtest. Wirklich, ich wäre nicht erstaunter gewesen, wenn Lümmel plötzlich angefangen hätte zu singen.«

»Wuff«, machte Lümmel, erfreut darüber, seinen Namen zu hören. Eifrig wedelnd lief er vor ihnen her, denn er kannte diesen höchst interessanten Platz recht gut und wusste ihn sehr zu schätzen. Und endlich standen sie vor den Mauern mit den leeren Fensterhöhlen. Rauchgeschwärzt ragte der Turm vor ihnen auf.

»Jetzt nisten die Vögel darin«, sagte Dina, »und einmal haben wir einen Dachs aus einem Loch unten in der Wand kommen sehen.«

»Wer hat eigentlich früher hier gewohnt?«, fragte Onkel Bob unvermittelt.

»Irgendwelche Ausländer, ich glaube, aus dem Orient, schrecklich vornehm und reich.«

»Und wie ist das Feuer entstanden?«

Robert zuckte die Schultern. »Das weiß kein Mensch. Die Leute in der Umgebung wachten eines Nachts auf, der ganze Himmel war rot von den Flammen, und nicht ein einziger Feuerwehrwagen konnte den Hügel hinauf, und das ganze Haus brannte bis auf die Grundmauern nieder. Aber die Bewohner konnten sich retten.«

»Und jetzt ist es nur noch ein verlassener Trümmerhaufen«, fügte Stubs trübsinnig hinzu, »willst du dir nun die Keller ansehen?«

»Ja, das wollen wir«, nickte Onkel Bob. »Immerhin hat der Schreiber dieser seltsamen Nachricht, dieser Harry, sie auch erwähnt.«

Er ging durch den Eingang und betrat die große Halle. Der Boden war aus Stein, vom Feuer geschwärzt, und in den Rissen wuchs das Unkraut. Dina wies auf einen Haufen verkohlten Holzes.

»Das war früher die Treppe. Im Turm ist sie übrigens aus Stein, ein paar Stufen sind zwar eingefallen, aber das schadet nichts, wenn man darüber springt.«

»Wie wär's mit einem kleinen Ausflug in schwindelnde Höhe«, schlug Stubs vor.

»Seid ihr schon einmal oben gewesen?«, fragte Onkel Bob, während er den Kindern langsam folgte.

»Klar! Früher war hier an der Wand noch ein eisernes Geländer, an dem man sich festhalten konnte, davon ist leider nicht viel übrig geblieben, nur ein paar schäbige Reste an manchen Stellen.«

Vorsichtig stiegen sie hinauf, höher und höher. Hin und wieder waren sie gezwungen, eine schadhafte Stufe zu überspringen, denn keiner von ihnen verspürte Lust, sich unnötig in Gefahr zu begeben.

Als sie endlich am Ziel angelangt waren und aus einem der Fenster sahen, pfiff Onkel Bob anerkennend durch die Zähne. »Donnerwetter, die Anstrengung hat sich gelohnt, was für ein Blick!«

»Und was für ein großartiger Platz zum Signalisieren«, ließ Robert sich mit hohler Stimme vernehmen und stieß Stubs heimlich an. »Ein Licht von diesem Turm kann man kilometerweit sehen.«

»Du denkst wohl an die chiffrierte Botschaft von unserem guten alten Harry«, sagte Onkel Bob und rückte den Hut ein wenig in die Stirn. »Wie hieß es doch da? Ach ja, achte auf Lichtsignale! War's nicht so? Tatsächlich, der Turm scheint geradezu ideal für derartige Unternehmungen, aber sagt selbst, wer käme wohl im Ernst auf die

Idee, des Nachts hier herumzugeistern, um Lichtzeichen zu geben, die von hunderten von Leuten im Tal gesehen werden könnten?«

»Ein abgebranntes Streichholz!«, schrie Stubs statt einer Antwort und bückte sich, um es aufzuheben. »Vielleicht hat Harry es hierher geworfen?«

»Nein«, war die lachende Antwort, »kein Harry, sondern irgendein unschuldiger Ausflügler, genau wie du einer bist, kleiner Idiot! Man könnte ja fast meinen, du glaubst an diesen Unfug. Weißt du, was ich glaube? Ich bin überzeugt, dass es der Einfall zweier Schuljungen ist.«

»Wo steckt Lümmel eigentlich, ist er denn nicht mit heraufgekommen?«, fragte Robert hastig, der fürchtete, das Gespräch könne eine für sie unangenehme Wendung nehmen.

»Er wird wohl unten anderweitig beschäftigt sein, außerdem mag er es nicht, wenn der Wind ihm so um die Ohren pfeift«, erklärte Stubs. »Kommt, wir wollen zu ihm, er muss sich ja ganz verlassen vorkommen!«

So stiegen sie also wieder hinunter und begannen nach ihm zu rufen. »Lümmel«, schrie Stubs, »wo bist du? Lümmel, Lümmel!«

Doch nichts war zu hören als das heisere Krächzen der Krähen, die um den Turm kreisten.

»Wo kann er nur sein?«, überlegte Stubs unruhig. »Ob er wohl im Keller ist? Oder sollte er allein zurückgelaufen sein?«

»Wo ist denn die Kellertreppe?«, fragte Onkel Bob und sah sich suchend um.

»Gleich neben der Küche«, antwortete Dina und lief voran durch einen hohen, halb eingefallenen Torbogen und weiter durch einen langen, schmalen Flur in einen Raum, der ehemals als Küche gedient haben mochte, denn an einer der rauchgeschwärzten Wände stand ein großer Herd.

Von neuem begannen die Kinder zu rufen. Doch wieder ohne Erfolg!

»Hier ist die Kellertür«, sagte Robert, »jedenfalls war sie einmal hier, bis auf die Angeln ist nichts übrig geblieben.«

Eine schmale Wendeltreppe führte in einen ebenso schmalen Gang. Stubs knipste die Taschenlampe an und sagte warnend: »Wir müssen sehr vorsichtig sein, die Stufen sind ziemlich steil und glitschig.«

Der Abstieg war tatsächlich nicht ungefährlich, und Onkel Bob wünschte, es wäre wenigstens ein Geländer vorhanden gewesen.

»Kein sehr angenehmer Aufenthaltsort«, stellte er fröstelnd fest, »kalt, stockfinster und dass Moder zu den Wohlgerüchen des Orients zählt, möchte ich auch nicht gerade behaupten. Hier wird sich Lümmel doch nicht herumtreiben?«

Doch zu seinem und der Kinder größtem Erstaunen hörten sie in diesem Augenblick aus weiter Ferne sein Bellen, das in den niedrigen Gängen unheimlich widerhallte.

»Lümmel«, schrie Stubs, »hierher, Lümmel, hierher!«

Aber Lümmel kam nicht, nur sein Bellen hörten sie noch einmal, erschreckt und ängstlich, wie es schien.

»Los, wir müssen ihn suchen«, rief Stubs außer sich, »irgendetwas stimmt da nicht, er fürchtet sich, ich kenne ihn doch! Ich muss zu ihm!«

# X

## *Eine Taschenlampe geht aus*

»Warte einen Augenblick«, sagte Onkel Bob, »so viel ich bei dieser grandiosen Beleuchtung erkennen kann, scheint es mir eine ziemlich schwierige Angelegenheit zu sein, sich hier zurechtzufinden. Gänge gibt's wahrhaftig genug, und die Gefahr, dass wir uns verlaufen, ist vermutlich sehr groß.«

»Wenn wir Lümmel erst haben, bringt er uns sicher zurück«, sagte Stubs hastig, »da, er bellt schon wieder!«

Sie gingen durch einen niedrigen, schmalen Gang und gelangten in einen zweiten Keller. Bis hierher hatte sich das Feuer nicht ausgebreitet, denn unversehrt standen Kisten und Kasten an den Wänden aufgestapelt. Sie blieben stehen, um auf ein neuerliches Lebenszeichen des Verschwundenen zu lauschen, als sie plötzlich undurchdringliche Finsternis umgab. Die Taschenlampe war ausgegangen!

»Die Batterie ist leer«, sagte Stubs verzweifelt, »ausgerechnet jetzt! Wenn Lümmel nur käme! Lümmel, Lümmel!«

Aber der kleine Spaniel kam nicht, und was noch schlimmer war, sie hörten ihn auch nicht mehr bellen. Stubs war außer sich. Warum war er plötzlich so still?

Doch nun nahm Onkel Bob die Sache in die Hand. Er legte den Arm um Stubs' Schulter und dirigierte ihn in die Richtung, aus der sie gekommen waren. »Mach keinen Unsinn«, sagte er beruhigend, »wenn du in dieser Dunkelheit weitergehst, findest du nicht wieder zurück.«

»Aber ich kann Lümmel doch nicht im Stich lassen«, protestierte Stubs, den Tränen nahe.

»Wenn er hinuntergelangt ist, gelangt er auch wieder hinauf«, sagte Onkel Bob bestimmt, »in dieser Finsternis ist es unmöglich, auch nur einen Schritt voranzukommen, geschweige denn, deinen Hund zu finden. Dina, Robert, seid ihr da? Haltet euch dicht hinter mir.«

»Ja«, antwortete Dina in kläglichem Ton.

Und nachdem sie die gewundene Treppe hinaufgestolpert waren, standen sie endlich wieder in der Küche.

»So«, sagte Onkel Bob und ließ sich auf einer der Fens-

terbänke nieder, »ich für mein Teil verspüre keine Lust, mich noch einmal in dieses Gewirr von Gängen zu begeben.«

Stubs weinte beinahe über so viel Herzlosigkeit und warf einen verzweifelten Blick in die Runde, während er

mit erstickter Stimme sagte: »Wir sind Feiglinge, ganz große Feiglinge sind wir, dass wir uns nicht um ihn kümmern, und was wollen wir jetzt machen, wenn ich fragen darf?«

»Noch eine Weile warten, und wenn er dann nicht gekommen ist, gehen wir nach Hause und holen uns jeder eine Taschenlampe. Aber ich glaube kaum, dass das nötig sein wird. Pass auf, er ist bald wieder da!« Mit diesen Worten zündete sich Onkel Bob eine Zigarette an und ging langsam auf und ab, während sich nun die Kinder auf eine Fensterbank hockten und den Eingang zum Keller nicht aus den Augen ließen.

Und plötzlich sprang Stubs auf. »Ich höre ihn!«, schrie er. Und tatsächlich, aus weiter Ferne hörten sie Lümmels Bellen, und Stubs rannte zur Kellertreppe, doch aus dieser Richtung schien es nicht zu kommen, und so jagte er wieder zum Fenster und stieß gleich darauf einen Freudenschrei aus. »Da ist er, er kommt den Weg herauf! Lümmel, Lümmel, hier sind wir, hier!«

Außer sich vor Freude kam Lümmel hereingefegt, stürzte sich auf sein Herrchen und Stubs umarmte ihn zärtlich, ohne Rücksicht darauf, dass das seidige Fell seines Lieblings alles andere als sauber war.

»Wo bist du nur gewesen, du bist ja ganz schmutzig, ganz voller Erde, und wir dachten schon, du wärst im Keller.«

»Das war er auch«, sagte Onkel Bob, »mir ist nur schleierhaft, wie er herausgekommen ist.«

»Vielleicht durch ein Kaninchenloch«, überlegte Robert, »von einem zweiten Ausgang habe ich jedenfalls noch nie etwas gehört. Du bist unmöglich, Lümmel. Wenn's nach deinem Herrchen gegangen wäre, hätten wir uns wegen dir dort unten verlaufen.«

Doch diese Tatsache schien den kleinen Spaniel nicht im Geringsten zu interessieren. Er bellte unentwegt und zerrte an Stubs' Schnürbändern, um ihm begreiflich zu machen, dass er es nun an der Zeit fand, sich auf den Heimweg zu begeben.

»Ja, ja, wir gehen ja schon, ich bin genauso hungrig wie du. Und was hältst du davon, Onkel Bob?«

»Ich hätte auch nichts gegen eine kräftige Mahlzeit ein-zuwenden. Seltsam, ich habe heute mehr Appetit als sonst. Es war aber auch ein unterhaltsamer Vormittag. Zuerst die chiffrierte Nachricht und die Vögel und dann unsere Exkursion in dieses alte Haus. Wahrhaftig, das Leben wird wieder lebenswert!«

Die Kinder stießen einander an. Sah Onkel Bob nicht wirklich schon viel besser aus als vorher, beinahe so wie früher?

»Unsere Anstrengungen haben sich also gelohnt«, flüsterte Robert und kniff ein Auge zu, als sie den Abhang hinunterliefen.

»Wenn er nur die Sache mit dem Zettel ernster nehmen würde«, seufzte Stubs, »es wäre doch jammerschade, wenn bei der ganzen Sache nichts weiter herauskäme. Übrigens überlege ich mir schon die ganze Zeit, wie Lümmel aus dem Keller herausgekommen ist. Sonst war er doch immer zu fett, um durch ein Kaninchenloch zu kriechen.«

»Stimmt, aber hast du vielleicht eine andere plausible Erklärung?«

»Ich an seiner Stelle hätte mich bestimmt nie so weit in diese ekligen Gewölbe gewagt«, sagte Dina schaudernd, »und wenn man mir sonst etwas versprochen hätte. Ich hätte immer daran denken müssen, dass unser Harry vielleicht wirklich da unten herumspukt.«

»Harry? Was für ein Harry?«, fragte Stubs verständnislos. Doch gleich darauf schlug er sich mit der flachen Hand an die Stirn. »Natürlich, ich weiß, du meinst unseren ausgedachten. Ha, Lümmel hätte ihm Beine gemacht, darauf kannst du dich verlassen!«

Als sie an der Gartentür anlangten, trafen sie mit Dinas und Roberts Vater zusammen und Onkel Bob sagte lachend: »Du hättest mit uns kommen sollen, wahrhaftig, es war richtig aufregend. Zuerst haben wir eine geheime Botschaft gefunden und dann das abgebrannte Haus angesehen und zu guter Letzt war unser guter alter Lümmel verschwunden und …«

»Oh, bitte, verrate uns nicht, verrate unser Geheimnis nicht«, flüsterte Stubs entsetzt, während er schon Onkel Richards durchdringenden Blick auf sich gerichtet fühlte. Doch zu seiner grenzenlosen Enttäuschung überhörte Onkel Bob seine Bitte und zog stattdessen, auf Onkel Richards flüchtiges Interesse eingehend, die chiffrierte Nachricht aus der Tasche, um sie ihm zu zeigen.

In diesem Augenblick schwor Stubs sich, Onkel Bob immer und ewig zu hassen! Herzlos war er, jawohl, das hatte er eben schon bewiesen, als er Lümmel einem ungewissen Schicksal überlassen wollte! Aber was sollte man von einem Detektiv schon anderes erwarten …

Der Gong, der vom Haus her zum Mittagessen rief, riss Stubs aus seinen Gedanken, und während die beiden Männer vor den Kindern her in angeregtem Gespräch den Gartenweg entlanggingen, zischte er Dina und Robert zu: »So eine Gemeinheit, so eine bodenlose Gemeinheit, uns so zu verraten! Hört nur, jetzt lachen sie auch noch, jetzt lachen sie sich halb tot über uns!«

Doch Dina und Robert schienen die ganze Angelegenheit viel weniger tragisch zu nehmen. »Reg dich nur nicht so auf«, sagte Robert beruhigend, »böse gemeint hat er es auf keinen Fall und Vater hat die ganze Sache schon längst wieder vergessen.«

»Ja«, stimmte Dina eifrig zu, »wer weiß, worüber sie lachen, über uns bestimmt nicht.«

Doch Stubs' Groll konnte durch ein paar wenn auch noch so gut gemeinte Worte nicht besänftigt werden. Und als der Zufall es wollte, dass er gemeinsam mit Onkel Bob das Esszimmer betrat, flüsterte er dem Ahnungslosen zu: »Es war gemein von dir, Onkel Richard die geheime Nachricht zu zeigen, richtig gemein!«

»Aber, mein Junge«, lachte der Onkel, »den Zettel könnte ja jeder andere auch gefunden haben, außerdem ist an der ganzen Geschichte sowieso nichts dran.«

Stubs zog die Brauen zusammen, warf ihm unter gesenkten Wimpern einen giftigen Blick zu und dachte: »Du wirst dich noch wundern, und zwar sehr bald, und dann wirst du dein Benehmen bitter bereuen.«

Während des Mittagessens war er so tief in Gedanken versunken, dass er weder die Scherze des gut aufgelegten Onkel Bob noch die an Lümmels Adresse gerichteten Ermahnungen Onkel Richards, doch endlich Sardine in Ruhe zu lassen, hörte. Er überlegte angestrengt, auf welche Weise an dieser verfahrenen Geschichte noch etwas zu retten war. Ob sich Robert vielleicht nicht doch überreden ließe, nachts vom Turm aus Signale zu geben? Dann würde er, Stubs, zu Onkel Bob gehen und ihm das Licht zeigen und dann würde er wohl seine Meinung ändern. Ach ja, Robert musste es einfach tun!

Wenn er es aber doch nicht tat, wenn er sich wieder weigerte, was dann? Und plötzlich musste Stubs an Barny denken, an Barny, ihren besten Freund, den sie damals in Rockingdown kennen gelernt hatten und der jahrelang mit dem Zirkus auf der Suche nach seinem Vater durch das Land gezogen war, bis er ihn endlich fand. Ja, Barny hätte ihm bestimmt geholfen!

»Was wälzt du denn für Probleme, mein Liebling?«, lächelte Tante Susanne. »Worüber denkst du denn ununterbrochen so angestrengt nach?«

»Ich wette, er zerbricht sich den Kopf über eine seltsame Botschaft«, lachte Onkel Bob, »stimmt's, habe ich Recht?«

»Nein«, sagte Stubs, während ihm das Blut ins Gesicht schoss, »nein!«, sagte er noch einmal, so laut und so wütend, dass alle zusammenschraken und Lümmel zu bellen begann.

»Und warum bist du so abwesend?«, lächelte Tante Susanne belustigt. »Seit mindestens zwei Minuten streust du Salz in dein Essen, ist das nicht ein bisschen zu viel?«

# XI
## *Zwei Telefongespräche*

Nach dem Essen verschwand Stubs, ohne den Nachtisch angerührt und ohne irgendjemanden auch nur eines einzigen Blickes gewürdigt zu haben.

»Wo läuft er denn nun so plötzlich hin?«, fragte Tante Susanne erstaunt. »Was hat er nur? Ist irgendetwas passiert?«

»Nicht viel«, lachte Onkel Bob, zündete sich eine Zigarette an und lehnte sich in seinem Stuhl zurück, »doch ich habe anscheinend einen großen Fehler begangen, indem ich deinem Mann erzählte, was wir so den Vormittag über getrieben haben. Das hat Stubs wohl sehr übel genommen!«

Frau Lynton nickte lächelnd. »Ja, er und Richard stehen nicht selten auf Kriegsfuß miteinander, weil Stubs, milde ausgedrückt, hin und wieder etwas auf dem Kerbholz hat. Außerdem kann er es ganz und gar nicht vertragen, wenn man seine Angelegenheiten nicht ernst nimmt, und der gute Richard hat leider die Angewohnheit, ihm diesen Gefallen nicht zu tun. Und da du nun den gleichen Fehler begangen hast, ist er natürlich sehr enttäuscht von dir.«

Tante Susanne ahnte selbstverständlich nicht, dass »enttäuscht« ein viel zu milder Ausdruck für die Gefühle war, die ihren Neffen bewegten, während er nun durch den sonnigen Garten zum Sommerhäuschen lief, wo er ungestört seinen Gedanken nachhängen wollte. Er setzte sich auf die Bank am Fenster und murmelte, zu Lümmel gewandt: »Wir wollen nachdenken, mein Kleiner, über die Schlechtigkeit der Welt nämlich.«

Lümmel sah mit schmelzendem, hingebungsvollem Blick zu ihm auf. Gab es noch einen einzigen Hund auf der Welt, der ein so gutes und verständnisvolles Herrchen besaß wie er? Nachdenken wollte er, mit ihm zusammen nachdenken über Sardines Bosheit, die sie eben bei Tisch wieder einmal bewiesen hatte.

Vor dem Essen hatte er, Lümmel, Gelegenheit gefunden, die vor einigen Tagen von ihm unter den Rhododendronbüschen vergrabene Speckschwarte hervorzu-

holen, um sich damit zu beschäftigen, während die anderen aßen.

Es war ihm keineswegs entgangen, dass Sardine ihn schon eine ganze Weile aus ihren grünen Augen missgünstig beobachtet hatte, ehe sie sich in einem Augenblick, in dem seine Wachsamkeit ein wenig nachließ, an ihn heranpirschte, um ihm seinen Besitz zu entreißen. Welcher rechtlich Denkende wollte es ihm verübeln, wenn er sich gegen derartige Übergriffe zur Wehr setzte? Leider schien Onkel Richard anderer Ansicht zu sein, denn er hatte, ohne die Schuldfrage zu klären, Sardines Partei ergriffen und ihn mit scharfen Worten zurechtgewiesen, als er mit wütendem Knurren auf sie losfuhr.

Seltsamerweise hatte sich sein Herrchen, ganz entgegen seiner sonstigen Gewohnheit, nicht eingemischt, stattdessen Löcher in die Luft gestarrt und mehrere Male nach dem Salznäpfchen gegriffen, um dann aber unter Protest mit ihm zusammen das Zimmer zu verlassen. Und nicht genug damit, nun wollte er sich den Kopf darüber zerbrechen, wie man sich an Onkel Richard und Sardine rächen könnte. Doch leider sollte daraus wohl nichts werden, denn er hörte, wie eilige Schritte sich näherten. Und gleich darauf wurde die Tür aufgerissen und Dina und Robert stürmten herein.

»Hier steckst du also«, rief Robert, »wir haben dich schon überall gesucht. Warum bist du denn so plötzlich davongelaufen?«

»Schön dumm bist du gewesen, dass du deine Baisers hast stehen lassen«, fügte Dina kopfschüttelnd hinzu, »ich an deiner Stelle würde einmal in die Küche gehen, sicher hat Marie welche für dich aufgehoben.«

»Später«, wehrte Stubs ab, dem in diesem Augenblick ein großartiger Gedanke gekommen war, »später«, wiederholte er und fügte mit nachdenklich zusammengezogenen Brauen hinzu: »Man müsste Barny anrufen!«

Die beiden starrten ihn fassungslos an und während Dinas Augen plötzlich zu strahlen begannen, sagte Robert langsam: »Einen Sonnenstich kannst du ja wohl nicht haben, dazu ist es noch nicht heiß genug, aber wie du ausgerechnet bei der Erwähnung von Baisers auf Barny kommst, ist mir schleierhaft.«

»Man müsste ihn anrufen«, beharrte Stubs, indem er Roberts Worte mit einer wegwerfenden Handbewegung abtat, »und ihn fragen, ob er zu uns kommen kann«, fuhr er voller Begeisterung fort, »und wenn er dann da ist, kann er uns helfen!«

»Zum Kuckuck«, sagte Robert, »wenn ich auch nur ein Wort von all dem verstehe, will ich Hans heißen.«

»Ich fände es wunderbar, wenn er käme!«, rief Dina.

»Ja, nicht wahr?« Mit diesen Worten wandte sich Stubs ihr mit seinem strahlendsten Lächeln zu.

»Ihr Idioten«, brauste Robert auf, »dass es wunderbar ist, wenn Barny kommt, versteht sich von selbst, darüber brauchen wir kein Wort zu verlieren. Ich möchte jetzt nur wissen, in welcher Angelegenheit er uns eigentlich helfen soll?«

»Das fragst du noch!«, stöhnte Stubs, entgeistert über so viel Gleichgültigkeit. »Hast du etwa Lust, dich von Onkel Bob noch länger auslachen zu lassen, bist du nicht etwa auch dafür, etwas zu unternehmen, um ihn dazu zu bringen, dass er die ganze Geschichte ernst nimmt und wir ihn nachher auslachen können?«

»Ach, das meinst du«, sagte Robert, »und deswegen willst du unbedingt den armen Barny bemühen?«

»Er könnte nachts die Lichtsignale geben und überhaupt, Barny weiß immer Rat.«

Robert lachte und schüttelte den Kopf. »Du bist wirklich blöd!«

»Aber anrufen könnten wir ihn trotzdem«, rief Dina eifrig.

Und zu Stubs' größtem Entzücken gelang es ihm mit Hilfe seiner Bundesgenossin, Robert für ihr Vorhaben zu begeistern, und als der, während sie schon dem Hause zuliefen, einen letzten Einwand machte und sagte: »Aber wo soll er denn schlafen und was wird Mutter dazu sagen?«, fegte Stubs alle Bedenken mit der prompten Entgegnung beiseite: »Im Gartenhäuschen natürlich, wo denn sonst?«

»Und Mutter hat bestimmt nichts dagegen«, rief Dina, »sie mag Barny genauso gern wie wir, und damit sie keine Mühe hat, werden wir ganz allein das Sommerhäuschen für ihn herrichten ...«

»... und es auf Hochglanz polieren«, ergänzte Stubs außer sich vor Begeisterung.

Tatsächlich hatte Frau Lynton, nachdem sie hinsichtlich der Unterbringung beruhigt worden war, gegen den auch ihr so lieben Besuch nichts mehr einzuwenden, und sie sah den glückstrahlend zum Telefon stürmenden Kindern lächelnd nach, nachdem Stubs sie umarmt und ihr versichert hatte, dass sie ein Engel wäre.

Doch einen Augenblick später kehrten die drei enttäuscht und niedergeschlagen zurück. »Er ist verreist«, erklärte Robert bedrückt, »mit seinem Vater.«

»Als ob der nicht alt genug wäre, um allein zu fahren«, sagte Stubs düster, eine Bemerkung, über die sogar Dina trotz ihres Kummers lachen musste.

»Nun«, meinte Frau Lynton, »aufgeschoben ist nicht aufgehoben. Ihr könntet ihn ja für die Sommerferien einladen.«

Doch so leicht waren die Kinder nicht zu trösten und Stubs haderte derartig mit seinem Schicksal, dass er selbst einen so verlockenden Vorschlag, wie Tante Susanne zusammen mit Dina und Robert zu Einkäufen und anschließendem Konditoreibesuch in die Stadt zu begleiten, energisch ablehnte.

»Ha«, dachte er, während er sich gemeinsam mit Lümmel in die Küche begab, »wie man sich jetzt so lächerlichen Vergnügungen hingeben kann«, und Lümmel dachte: »Nun wird er endlich Zeit für meine Sorgen haben.«

Wahrhaftig, es schien so, als sollten Lümmels Wünsche in Erfüllung gehen, denn sein Herrchen hockte bald darauf auf einer Fensterbank und starrte, in trübe Gedanken versunken, in den Garten hinaus.

Marie betrachtete ihn mit wachsender Besorgnis und schob einen Teller mit Baisers über den Tisch.

»Du bist doch nicht etwa krank?«, fragte sie, als er nach einer Weile noch immer keine Anstalten machte, sich mit dem von ihm sonst so bevorzugten Nachtisch zu befassen.

Stubs warf einen schnellen Blick auf die Baisers, wandte sich aber sofort wieder ab und starrte von neuem aus dem Fenster. »Wenn einem so schwer ums Herz ist«, sagte er endlich mit Betonung, »steht einem der Sinn nicht nach leiblichen Genüssen.«

»Du lieber Himmel«, staunte Marie, »was für ein Kummer kann denn so groß sein, dass du keinen Appetit mehr hast?«

»Der ewige Ärger mit Sardine!«, dachte Lümmel und Stubs ließ einem abgrundtiefen Seufzer eine wirkungsvolle Kunstpause folgen, ehe er Marie von dem Telefongespräch und seinem enttäuschenden Verlauf erzählte.

»Ha«, rief er, während seine nie ganz saubere Hand nach dem ersten Baiser griff, »Robert und Dina, die trösten sich schnell, die bringen es übers Herz, nach einer solchen Nachricht Eis zu essen, in einer Konditorei zu sitzen und zu schwelgen, ha!« Ganz automatisch teilte er das zweite Baiser mit Lümmel, der es dankbar als Ersatz dafür nahm, dass sein Herrchen sich auch dieses Mal nicht mit seinen Kümmernissen beschäftigte.

»Gar nicht zu begreifen«, murmelte Marie missbilligend und sah andächtig zu, wie der Teller sich allmählich leerte.

In diesem Augenblick schrillte das Telefon, doch Stubs

winkte müde ab und sagte etwas undeutlich, da er das letzte Stück noch nicht heruntergeschluckt hatte: »Geh du, ich kann heute sowieso kein Telefon mehr sehen!«

Marie nickte, begab sich in die Diele und Stubs war so lange damit beschäftigt, sich die Sahnereste von den Fingern zu lecken, bis sie in alarmierendem Ton rief: »Komm her, es ist für dich, da ist jemand für dich!«

Und eine Sekunde später stand er neben ihr, den Hörer an das Ohr gepresst und lauschte in ungläubigem Staunen der wohl bekannten Stimme am anderen Ende.

»Barny«, schrie er, »du bist es! Ob du zu uns kommen kannst? Oh, Barny, eben haben wir bei dir angerufen, weil wir dich einladen wollten, und wir waren so enttäuscht, dass du nicht da warst. Ja, ja, natürlich, wunderbar! Oh, was werden die anderen sagen! Also, bis morgen!«

»Er kommt, er kommt, er kommt!«, schrie Stubs und fiel Marie um den Hals. »Oh, was haben wir für Glück gehabt!«

# XII

## *Eis mit Sahne und Früchten*

Stubs war außer sich vor Freude und tanzte im Überschwang der Gefühle so lange mit Marie rund um die Diele, bis sie nach Luft rang und ihm androhte, morgen nichts als Pellkartoffeln und Hering auf den Tisch zu bringen, wenn er sie nicht augenblicklich losließe.

»Pellkartoffeln und Hering!« Er starrte die erschöpft auf einen Stuhl Sinkende so entgeistert an, dass sie trotz Atemnot lachend sagte: »Ja, wenn du mich nicht losgelassen hättest, nun gibt es natürlich Eis mit Sahne und Früchten zum Nachtisch.«

»Ach, Mariechen«, strahlte er, »du bist doch die Allerallerbeste, du hast noch nicht vergessen, dass Barny so gerne Eis isst und Miranda auch.«

»Wuff«, machte Lümmel. Miranda, war das nicht die-

ses aufdringliche Tier, das sich stets in den Vordergrund drängen musste und immer versuchte, die Gunst seines Herrchens zu erringen? Wenn er, Lümmel, die Sachlage richtig beurteilte, so standen ihm ab morgen aufregende Zeiten bevor.

Vorerst aber konnte er sich in Ruhe unter dem Küchentisch niederlassen, an dem Marie und Stubs Platz genommen hatten, um, nachdem Stubs sich erboten hatte, alles Fehlende zu besorgen, einen langen Einkaufszettel zu schreiben.

Während sie noch eifrig die Köpfe zusammensteckten, erschien Onkel Bob, ausgerüstet mit Büchern und Zeitungen, in der Tür, um seine durch das Telefongespräch unterbrochene Mittagsruhe mit einer Lesestunde im Garten fortzusetzen.

»Hier scheint großer Kriegsrat abgehalten zu werden«, stellte er mit einem Blick auf die beiden lächelnd fest und glaubte seinen Ohren nicht zu trauen, als der noch vor kurzem so übel gelaunte Stubs mit überströmender Herzlichkeit antwortete: »Ganz recht, wir sind sehr beschäftigt, wir bekommen nämlich Besuch und es tut mir aufrichtig Leid, dass es mir meine knapp bemessene Zeit nicht erlaubt, dir jetzt Gesellschaft zu leisten.«

»Hm«, machte Onkel Bob und nachdem er auf eine

Frage nach Tante Susanne mit der gleichen Liebenswür-
digkeit und Zuvorkommenheit Auskunft erhalten hatte,
begab er sich kopfschüttelnd in den Garten. Wie konnte
er ahnen, dass sein Anblick, der Stubs noch vor einer
Stunde nichts als ein Ärgernis gewesen war, nun nur
noch Gefühle des Triumphes in ihm auslöste.

»Höflich kann der Junge sein«, dachte Marie, als sie
gleich darauf dem vor Freude laut pfeifend Davonra-
delnden nachsah.

Selten hatte Stubs das Einkaufen, eine Beschäftigung,
der er sich sonst nur allzu gerne entzog, mit so viel Begeisterung erledigt. Barny kam ja! Schon morgen würde
er bei ihnen sein! Was würden Dina und Robert wohl
sagen? Ach, er konnte es kaum erwarten, ihnen die Neuigkeit zu erzählen. Seine Ungeduld wuchs und zu Hause
angelangt lief er unzählige Male zum Gartentor, um nach
ihnen Ausschau zu halten.

Onkel Bob gesellte sich zu ihm, verschwand aber bald
wieder, verwundert über Stubs' Wortkargheit, die in so
krassem Gegensatz zu der ihm noch vor kurzem entge-
gengebrachten Herzlichkeit stand.

Die Uhr in der Diele schlug fünfmal, als Stubs, der sich
gerade wieder bei Marie in der Küche aufhielt, endlich
die Schritte der so sehnsüchtig Erwarteten hörte.

»Sie kommen!«, schrie er, sodass Marie erschreckt zusammenfuhr, stürzte zur Tür, besann sich aber plötzlich eines Besseren und kehrte an seinen Platz auf der Fensterbank zurück. Warum sollte er die beiden gleich mit der Freudenbotschaft überraschen, warum sollte er es nicht ein bisschen spannend machen, nicht die Gelegenheit ergreifen und die Situation ein bisschen auskosten?

Er fand gerade noch Zeit, Marie einen bedeutsamen Blick zuzuwerfen und den Finger an die Lippen zu legen, ehe Dina und Robert hereinkamen.

»Na«, sagte er mit aufreizend freundlichem Grinsen, »hat das Eis geschmeckt? Habt ihr euch gut amüsiert?«

»Hm«, machte Robert, ähnlich wie Onkel Bob eben, und betrachtete ihn erstaunt und Dina sagte: »Amüsiert? Das gerade nicht. Du weißt ja, wir waren nicht in der richtigen Stimmung.«

»Nicht in der richtigen Stimmung?«, wiederholte Stubs mit bedauerndem: »Ts, ts, ts! Ihr hättet zu Hause bleiben sollen, hier war's prima, nicht wahr, Mariechen?«

Marie unterdrückte nur mit Mühe ein Lachen, nickte und fügte, da auch sie Gefallen an dem Spaß fand, mit wichtiger Miene hinzu: »Und die ganzen Sahnebaisers hat er aufgegessen.«

»Fresssack«, murmelte Robert, doch Stubs ließ sich

nicht beirren und fuhr, genießerisch die Worte dehnend, fort: »Ihr könnt euch überhaupt nicht vorstellen, wie prima es hier war. Sogar einen Walzer haben wir aufs Parkett gelegt, Marie und ich, nicht wahr, Mariechen?«

Marie, in der Verstellungskunst noch ungeübt, hielt es für angebrachter, den Teekessel aufs Feuer zu setzen und so der versammelten Mannschaft den Rücken zuzukehren.

»Ich wette, es hat am Eis gelegen«, begann Stubs von neuem, »ich meine, dass ihr nicht in Stimmung kamt. Das Eis in der Konditorei«, er schnippte verächtlich mit den Fingern, »kann sich mit dem, das Mariechen macht, überhaupt nicht messen. Eis mit Sahne und Früchten zum Beispiel! Wie ist es, Mariechen, bekommen wir morgen Eis mit Sahne und Früchten zum Nachtisch?«

Marie nickte stumm, denn sie fühlte sich nun außer Stande, auch nur ein einziges Wort zu erwidern.

»Du scheinst dich ja sehr schnell getröstet zu haben, du Fresssack«, sagte Dina aufgebracht, »wir jedenfalls sind sehr enttäuscht, dass Barny nicht kommt.«

»War ich auch«, sagte Stubs wahrheitsgemäß. »Na, das hat sich aber schnell gegeben!«, und grinsend fügte er hinzu: »Sehr schnell, und zwar genau in der Zeit, in der ich das Telefongespräch führte. Es hat nämlich jemand angerufen, es kommt nämlich jemand zu Besuch, und zwar ist es …« Er machte eine kleine Pause, sprang mit leuchtenden Augen von der Fensterbank, holte tief Luft und da schrie Dina schon: »Barny! Barny kommt, ja?«

»Ja, ja, ja!«, schrie Stubs, während Robert ihn in ungläubigem Staunen anstarrte.

»Menschenskind«, sagte er endlich und gab ihm einen Stoß in die Seite, »dass es so etwas gibt!«

Durch das wilde Freudengeschrei angelockt, erschien Frau Lynton, und so erfuhr auch sie, dass Barnys Vater beabsichtigte, einen ganz in der Nähe wohnenden Freund für einige Tage zu besuchen und dass Barny angefragt hatte, ob er während dieser Zeit zu ihnen kommen dürfe.

In den nächsten beiden Stunden, die den Kindern noch bis zum Abendessen zur Verfügung standen, gab es ein reges Hin und Her zwischen Haus und Gartenhäuschen.

Mit Feuereifer stürzten sie sich in die Arbeit, um alles so hübsch und gemütlich wie möglich für Barny herzurichten. Zunächst wurde der Stall mit den Meerschweinchen in den Garten an einen geschützten Platz getragen. »Ein Glück, dass ich das Dach schon geteert habe«, sagte Robert, »trocken sitzen sie auf jeden Fall.«

»Komm her, du kannst den Fußboden scheuern«, rief Dina ihm zu, die, in jeder Hand einen mit warmem Was-

ser gefüllten Eimer, vorüberkam, »ich fange schon an die Fenster zu putzen. Stubs soll inzwischen die Leiter holen. Nicht, Lümmel, du sollst mich nicht anspringen, hier hast du eine Bürste, ja, ja, du sollst auch helfen!«

Mit vereinten Kräften gelang es den dreien, in kürzester Zeit ihr Reinigungswerk zu vollenden. Und nachdem sie noch einen befriedigten Blick über den nun blitzblanken Raum geworfen hatten, stürmten sie hinaus, um die Couch aus Onkel Bobs Zimmer zu holen.

Es wurde schon dämmrig, und Stubs, der als Erster die Stufen hinunterrannte, stolperte über eine Ansammlung von Matten, die Lümmel in unermüdlichem Eifer dort zusammengetragen hatte.

»Idiot«, grinste sein Herrchen, den heute nichts, aber auch gar nichts aus der Fassung bringen konnte, »beinahe hätte ich mich ganz schön hingelegt.«

»Er wollte sich eben nützlich machen«, lachte Dina. »Freut ihr euch auch so auf Barny und Miranda?«

»Natürlich nicht«, sagte Robert und sie lachten noch, als sie durch die Diele und weiter die Treppe hinaufliefen. Onkel Bob erwartete sie in seinem Zimmer und bot ihnen großmütig seine Hilfe beim Transport der Couch an, was Stubs zu der Äußerung veranlasste: »Donnerwetter, das ist aber anständig von dir! Ich hatte mir schon überlegt, ob wir das Ding nicht einfach auf der Polsterseite die Treppe herunterrutschen lassen.«

»Worüber sich deine Tante sicher sehr gefreut hätte!«

»Es sieht ganz wunderhübsch bei Barny aus, Mutter«, sagte Dina strahlend, als die drei atemlos, erhitzt und glücklich zum Abendbrot erschienen. »Neben der Couch steht der kleine Tisch aus Roberts Zimmer und ich habe Narzissen gepflückt und Marie hat uns den blauen Krug gegeben …«

»… und eine Petroleumlampe habe ich auch organisiert«, schrie Stubs, »auf dem Boden aufgestöbert nämlich!«

Und Robert sagte: »Du musst es dir unbedingt ansehen, Mutter.«

»Morgen«, lächelte sie, »heute ist alles ein bisschen spät geworden.«

Die Kinder glaubten vor Aufregung nicht einschlafen zu können. Doch diese Befürchtung erwies sich als unbegründet, denn die ungewohnte körperliche Arbeit hatte sie so angestrengt, dass es nicht lange dauerte, bis ihnen die Augen zufielen.

So hastig wie am nächsten Morgen hatten die drei ihr Frühstück selten beendet, und wenig später standen sie am Gartentor versammelt, um auf Barny zu warten.

»Er kommt doch mit dem Wagen, nicht wahr?«, fragte Robert, während sie die sonnenbeschienene Straße hinuntersahen.

»Klar«, sagte Stubs prompt und fügte, etwas unsicher geworden, hinzu: »Das heißt, gefragt habe ich ihn nicht, aber sein Vater wird ihn doch bestimmt hierher bringen.«

»Bestimmt«, sagte Dina und als Lümmel nun ein kräftiges »Wuff« hören ließ, meinte sie lachend: »Lümmel ist der gleichen Ansicht.«

»Wenn er nur erst da wäre«, seufzte Stubs, »etwas Schlimmeres als so eine Warterei kann ich mir gar nicht vorstellen.«

Doch die Geduld der Kinder wurde auf eine harte Probe gestellt. Die Zeit verging, ohne dass der so sehnlich Erwartete kam. Und Robert begann in immer kürzeren Abständen auf seine Uhr zu sehen und murmelte endlich: »Schon elf.«

Allmählich begannen die Kinder unruhig zu werden. Sollte Barny nicht kommen können?

»Dann hätte er angerufen«, sagte Robert mit Bestimmtheit.

Und in diesem Augenblick hörten sie vom Haus her das Schrillen des Telefons und stürzten voller Schrecken in die Diele. Aber zu ihrer größten Erleichterung war es ein Gespräch für die Mutter und so bezogen sie wieder ihren Posten am Gartentor.

Es war schon beinahe Mittag, als in der Ferne eine Gestalt auftauchte, Stubs plötzlich die Augen mit der Hand beschattete und Robert am Arm fasste: »Du, wenn ich nicht wüsste, dass er mit dem Wagen kommt, würde ich sagen, das ist er! Sieh mal, da hinten!«

Ohne sich zu rühren, starrten die drei wie gebannt auf den sich langsam Nähernden. Und dann schrie Stubs: »Er ist es!«, und sie begannen zu laufen und auch Barny lief ihnen entgegen. Barny mit dem weizenblonden Haar, schlank und braun gebrannt, wie immer die unruhig auf und ab wippende Miranda auf seiner Schulter.

Als das Äffchen die Kinder entdeckte, glitt es zu Boden und landete ein paar Sekunden später in Dinas Armen. »Miranda, Miranda«, flüsterte sie zärtlich, während Robert und Stubs schon Barny die Hand schüttelten und er sie aus seinen seltsam weit auseinander liegenden blauen Augen strahlend ansah, um sich dann zu Lümmel herabzubeugen, der außer sich vor Freude um ihn herumtanzte.

»Schön, wieder einmal mit euch zusammen zu sein«, sagte er glücklich und keiner von ihnen war anderer Mei-

nung, nur Lümmel machte eine kleine Einschränkung, denn Mirandas Anwesenheit passte ihm ganz und gar nicht.

Die saß inzwischen auf Stubs' Schulter, zog an seinem Haar und schnatterte ihm aufgeregt etwas ins Ohr. Dann aber sah sie interessiert zu dem sie aufmerksam beobachtenden Lümmel hinunter und ließ plötzlich, einer lieben alten Gewohnheit folgend, ihren langen Schwanz verführerisch vor seiner Nase baumeln.

»Sie ist immer noch die Alte«, lachte Robert und Stubs grinste: »Es wäre auch ein Jammer, wenn sie sich ändern würde!«

Und fröhlich lachend und schwatzend liefen die Kinder ins Haus.

# XIII

## *… du kannst es glauben*

Zu Stubs' größter Enttäuschung kam er an diesem Tag nicht mehr dazu, Barny in seinen Plan einzuweihen, denn es hatte die ganze Zeit über zu viel Trubel gegeben, und stets war einer der Erwachsenen in der Nähe gewesen, so hatte er ihm nur vor dem Schlafengehen zuflüstern können: »Ich muss dir unbedingt etwas erzählen, ich muss dir unbedingt etwas anvertrauen, eines aber kann ich dir jetzt schon verraten, du musst nachts Lichtsignale geben!«

»Morgen wird sich schon ein geeigneter Moment finden, um in Ruhe mit Barny zu sprechen«, dachte er, als er ins Bett schlüpfte, und so, getröstet und ermüdet von all den Aufregungen der letzten Stunden, schlief er augenblicklich ein.

Mitten in der Nacht erwachte er plötzlich. Eine Eule

schrie im Garten, Lümmel knurrte leise und Stubs überlegte, was ihn wohl geweckt haben mochte. Ob es die Eule gewesen war? Vielleicht saß sie im Birnbaum vor dem Fenster.

Er drehte sich zur Wand, schloss die Augen, aber er konnte nicht wieder einschlafen. Der Schrei des Nachtvogels wiederholte sich in regelmäßigen Abständen und in der Ferne antwortete ein zweiter.

»Ich muss das Fenster zumachen«, dachte er, sprang aus dem Bett und lehnte sich gleich darauf, die Hand auf das Sims gestützt, hinaus, um einen der Zweige ein wenig zu schütteln. Ein dunkler Schatten flog lautlos mit schwerem Flügelschlag davon.

Der milde Nachtwind trug den Duft der Narzissen zu ihm hinauf, und er dachte, während er tief atmete: »Komisch, dass sie immer viel stärker duften, wenn es dunkel ist.« Er sah hinunter und entdeckte hier und da ihr mattes Schimmern auf dem Rasen.

Langsam zog er die Fensterflügel heran und in diesem Augenblick sah er in der Ferne, im vom Mond schwach erhellten Dunst, ein Licht aufleuchten und wieder verschwinden. »Ein Gewitter«, dachte er, wollte das Fenster vollends schließen und hielt plötzlich inne. »So früh im Jahr ein Gewitter?«

Nein, da war es wieder, das Licht, blinkte auf und verlosch, blinkte auf und verlosch.

»Wie ein Signal«, dachte er und plötzlich begann sein Herz schneller zu schlagen. Kam es nicht aus der Richtung des Lerchenhügels, vom alten Turm? Aber wer um Himmels willen sollte sich um diese Zeit denn da oben aufhalten?

»Ich muss zu Barny«, dachte er, »sofort! Aber ehe ich am Gartenhäuschen angelangt bin, kann der ganze Spuk ja schon vorüber sein. Nein, ich muss Robert wecken! Robert wecken! Robert muss ich wecken!«

Er stürzte zur Tür und eine Sekunde später in seines Vetters Zimmer. »Du«, flüsterte er und packte Roberts Schulter, »wach auf! Vom Turm signalisiert jemand!«

Der so unsanft aus dem Schlaf Gerissene fuhr hoch, starrte Stubs verständnislos an und murmelte: »Wie, was? Was faselst du da?«

»Vom Turm signalisiert jemand! Steh auf, los! Wir müssen unbedingt zu Onkel Bob, los, beeil dich!«

»Ich komme ja schon«, sagte Robert, »aber wenn du meine Meinung hören willst, ich glaube, du hast geträumt.«

Ohne ein Wort zu erwidern, zog Stubs den hinter ihm her Stolpernden hinaus auf den Flur, blieb aber noch einmal vor Onkel Bobs Zimmer stehen und flüsterte: »Wir müssen leise sein, wir müssen uns erst überzeugen, ob das Licht noch zu sehen ist. Wir können ihn ja nicht nur wecken, um uns dann zu blamieren.«

Vorsichtig drückte er die Klinke herunter, öffnete langsam die Tür und schob sich zögernd durch den Spalt in den vom Licht des Mondes schwach erhellten Raum. Auf Zehenspitzen schlichen beide zum Fenster, dessen Vorhänge zurückgezogen waren, und starrten hinüber zum Lerchenhügel. Dunkel hob sich der Turm gegen den nur wenig helleren Himmel ab und plötzlich sahen sie das Licht aufleuchten, dreimal hintereinander!

»Da«, flüsterte Stubs, »da siehst du es selbst!«

Robert schwieg einen Augenblick verwirrt und murmelte dann: »Tatsächlich, das hätte ich nicht für möglich gehalten! Man müsste ein Fernglas haben. Vielleicht entdecken wir Onkel Bobs irgendwo«, fügte er leise hinzu, während sein suchender Blick schon von etwas Blitzendem auf einer Kommode angezogen wurde.

In seiner Hast stolperte er über ein Paar am Boden liegender Schuhe, stieß dabei an das Bett und Onkel Bob erwachte augenblicklich und fuhr hoch.

»Wer ist da?«

»Wir sind's nur, Robert und ich«, flüsterte Stubs.

Onkel Bob knipste die Nachttischlampe an und starrte verwundert auf die beiden. »Was wollt ihr denn hier?«, fragte er. »Wie kommt ihr denn mitten in der Nacht in mein Zimmer?«

»Jemand gibt Lichtsignale vom Lerchenhügel, vom Turm!«, sagte Stubs hastig.

Der Onkel betrachtete ihn schweigend, holte tief Luft und begann langsam: »Nur hör einmal zu, mein Junge, jetzt ist Schluss mit dem Unfug! Ich weiß genau, dass ihr, du und Robert, die chiffrierte Nachricht verfasst habt, ich habe es euch an der Nasenspitze angesehen, und ich habe den Spaß mitgemacht, warum auch hätte ich ihn euch verderben sollen? Aber dass ihr zu nachtschlafender Zeit hier aufkreuzt, um mir einen solchen Bären aufzubinden, das geht zu weit!«

»Aber wir haben doch wirklich ein Licht gesehen«, beteuerte Stubs in beschwörendem Ton und Robert fügte schnell hinzu: »Du kannst es glauben, es stimmt!«

Onkel Bob schüttelte den Kopf. »Dass du diesen Unsinn mitmachst! Dich hätte ich wahrhaftig für vernünftiger gehalten!«

»Aber es ist doch die Wahrheit!«, rief Stubs verzweifelt. »Komm doch ans Fenster, hier, nimm das Fernglas, dann kannst du dich selbst überzeugen!«

»Also gut, damit du endlich Ruhe gibst! Wach bin ich nun ohnehin.« Mit diesen Worten erhob sich Onkel Bob seufzend, war mit wenigen Schritten neben Stubs und stellte das Fernglas sorgfältig ein. Die Jungen starrten ihn an, als er schweigend in die Nacht hinaussah.

»Na«, fragte Stubs ungeduldig, »was sagst du nun?«

»Gar nichts, es ist nämlich nichts zu sehen und ich habe es auch nicht anders erwartet!«

»Aber«, begann Stubs wieder beschwörend, »glaub mir doch, wir haben ganz bestimmt...«

»Nun ist Schluss, jeder Spaß hat einmal ein Ende«, sagte Onkel Bob, legte das Glas zurück und schob die Jungen vor sich her aus dem Zimmer.

Die beiden warfen noch einen letzten Blick zum Fenster. Nein, niemand signalisierte mehr, natürlich, einmal mussten die da oben ja auch wieder damit aufhören, das war klar. Sie hatten einfach Pech gehabt.

Niedergeschlagen und enttäuscht saßen sie noch eine Weile auf Roberts Bett, während Stubs seiner Empörung über die Ungläubigkeit gewisser Erwachsener freien Lauf ließ, um seine Ausführungen mit den nachdenklichen Worten zu schließen: »Ist das nicht verrückt, da haben wir uns etwas ausgedacht und nun scheint es tatsächlich wahr zu sein. Sachen gibt's!«

Robert grinste schwach und nickte. »Es sieht ja beinahe so aus, als ob da oben wirklich etwas vorgeht. Übrigens, so ungerechtfertigt ist Onkel Bobs Misstrauen nicht, ich habe ja auch zuerst gedacht, du spinnst.«

»Na, jedenfalls verzichten wir auf seine Mitarbeit«, murmelte Stubs, »schließlich haben wir ja Barny und morgen ziehen wir alle zusammen los und sehen uns erst einmal die Gegend und den alten Kasten genauer an. Ha, wir werden schon beweisen, dass wir die besseren Detektive sind. Hoffentlich erzählt er Onkel Richard nichts, dann gibt's nämlich Unannehmlichkeiten.«

»Unsinn«, beruhigte Robert ihn, »das tut er nie, wenn er sich auch über uns geärgert hat. Ach, ich wollte, wir hätten diesen Wisch nie geschrieben.«

»Ich nicht«, sagte Stubs prompt und seine Augen leuchteten, »ich finde es prima! Prima finde ich es!«

Robert warf seinem Vetter einen schnellen Blick zu und sagte dann gähnend: »Ich für mein Teil bin müde. Morgen ist auch noch ein Tag. Nach dem Frühstück besprechen wir alles Nötige im Gartenhäuschen.«

»Ja«, sagte Stubs, »und ich wette, es wird eine ganze tolle Sache, es wird grandios, ich spür's in meinen alten Knochen.«

# XIV

## *Das hätte auch schief gehen können*

Am nächsten Morgen, gleich nach dem Frühstück, zog Stubs Barny und Dina beiseite und sagte leise: »Robert und ich, wir haben heute Nacht etwas ganz Tolles erlebt, wir müssen es euch unbedingt erzählen. Kommt sofort ins Gartenhäuschen.«

Und wenige Minuten später hockten sie alle auf der Couch und Robert und Stubs berichteten hastig über die Vorgänge der letzten Nacht.

»Und du denkst wirklich, dass dort nicht alles mit rechten Dingen zugeht?«, meinte Barny schließlich zweifelnd.

»Was denn sonst«, protestierte Stubs empört, »was denn sonst! Wer hätte wohl Interesse daran, dort herumzugeistern?«

Alle schwiegen nachdenklich, bis Dina plötzlich sagte: »Übrigens, habt ihr schon einmal einen Plan von dem alten Haus gesehen?« Und ohne eine Antwort abzuwarten, fuhr sie fort: »Ich schon, und besonders interessant ist der von den Kellern, sie ziehen sich den ganzen Hügel hinunter.«

»Woher weißt du denn das?«, fragte Robert erstaunt.

»Die Schwester von der alten Frau Harriet, die für uns näht, ist im Museum angestellt, und die hat sie mir einmal gezeigt.«

»So, so«, sagte Barny, »jetzt weiß ich auch, was wir tun können, nämlich ins Museum gehen und sie uns ansehen.«

»Ohne mich«, sagte Stubs prompt, »das ist Weibersache. Ich für mein Teil werde heute eine kleine Exkursion zum Lerchenhügel unternehmen!«

Dina starrte ihren Vetter wütend an. »Du bist ja reichlich unverschämt! Während ich in alten Papieren herumkramen soll, willst du dich amüsieren!«

»So war's doch nicht gemeint«, lenkte Stubs, der das hitzige Temperament seiner Cousine nur allzu gut kannte, schnell ein, »ich meinte doch nur, dass du spezielle Erfahrungen auf diesem Gebiet hast, ich brauche nur daran zu erinnern, wie dir Großonkel Johann auf den Leim gegangen ist.«

Barny lachte plötzlich: »Stubs hat Recht«, sagte er, »du hast wirklich besonderes Talent im Umgang mit vergilbten Papieren.«

»Na gut«, gab Dina ein wenig zögernd und ein wenig geschmeichelt nach, »dann werde ich wohl in den sauren Apfel beißen müssen.«

»Aber gleich!«, verlangte Stubs dreist.

Das nun folgende allgemeine Gelächter hinderte Dina an einer passenden Entgegnung.

»Du bist doch nicht böse?«, sagte Barny schnell.

»Ach wo«, mit wegwerfender Gebärde enthob Stubs sie einer Antwort, »wir Männer begeben uns einstweilen schon auf den Spaziergang zum Lerchenhügel.«

Bei dem Wort »Spaziergang« spitzte Lümmel die Ohren, um dann plötzlich wild vor Begeisterung von einer Ecke in die andere zu jagen, sich endlich auf den Rücken zu werfen und mit den Pfoten in der Luft zu strampeln, was sein Herrchen als »Radfahren« bezeichnete.

Dieses Tun verfolgte Miranda mit wachsender Aufmerksamkeit, dann glitt sie von Barnys Schulter, schoss auf ihr Opfer zu und zog es kräftig an den Ohren.

Jaulend fuhr der arme Lümmel hoch, doch ehe er sich an seiner Peinigerin rächen konnte, hockte sie schon befriedigt schnatternd auf dem Fensterbrett.

Die Kinder lachten und Robert sagte: »Ich glaube, wir müssen jetzt einmal genau überlegen, wie die ganze Geschichte vor sich gehen soll. Mein Vorschlag: Zuerst lassen wir uns von Marie einen Fresskorb zurechtmachen, und während Dina die Pläne der Keller abzeichnet, gehen wir schon voraus. Wir treffen uns dann vor dem alten Haus.«

Wenig später schlugen die Jungen, wohl versorgt mit einem schweren Picknickkorb und, wie immer, begleitet von Lümmel und Miranda, den Weg zum Lerchenhügel ein und Dina ging in die entgegengesetzte Richtung davon. Lachend wandte sie sich noch einmal um und ihr schwarzes Haar wehte im Wind. In ihrer Umhängetasche trug sie Papier und Bleistift und auf Barnys Anraten eine Taschenlampe.

Als sie die kühle, dämmrige Halle des Museums betrat, wurde sie von einer kleinen, rundlichen Frau, die mit dem Abstauben der Glasvitrinen beschäftigt war, aufs Freundlichste begrüßt: »Welches Anliegen führt dich denn hierher? Du hast mich ja so lange nicht besucht. Also, was hast du auf dem Herzen?«

»Wenn Sie mir die Pläne von dem ausgebrannten Haus heraussuchen würden, das wäre nett«, bat Dina, »wissen Sie, die von dem Haus auf dem Lerchenhügel. Wir interessieren uns nämlich sehr dafür. Es gibt doch welche, nicht wahr?«

Fräulein Clewes nickte. »O ja, eine ganze Menge. Seltsam, wie viele Leute sich in letzter Zeit danach erkundigen. Aber es wird doch wohl niemand im Ernst die Absicht haben, diesen unheimlichen Kasten wieder aufzubauen?«

»Was für Leute?«, fragte Dina erstaunt.

»Ziemlich unangenehme und unmögliche. Sie haben sich auf die Pläne gestürzt und die Köpfe zusammengesteckt und sich allerhand notiert. Und dann habe ich gefragt, ob sie das Haus etwa kaufen wollten.«

»Und was haben sie geantwortet?«

Fräulein Clewes schüttelte ärgerlich den Kopf, während sie aus einem Regal verschiedene Papierrollen nahm. »›Sie sollen sich nicht um Dinge kümmern, die Sie nichts angehen!‹ Ist das eine Art? Ich sage dir ja, richtig unverschämt waren sie!«

»Komisch«, murmelte Dina, während sie nun einen der festen Bogen glatt strich und sich darüber beugte. Da es sich aber anscheinend um einen Plan der Wohnräume handelte, griff sie nach einem anderen, größeren, auf dem ein Gewirr von Gängen und Höhlen eingezeichnet war. »Ist das der Grundriss von den Kellern?«, fragte sie.

Fräulein Clewes nickte. »Ja, sie sind das Einzige, was vom Feuer verschont geblieben ist. Es sind natürliche, verstehst du, keine angelegten. Die Gänge durchziehen einen großen Teil des Hügels, weit den Abhang hinunter.«

»Sicher gibt es irgendwelche interessanten Geschichten über das alte Haus?«

»Einmal habe ich eine gehört, aber es wird wohl kein wahres Wort daran sein. Eine Geschichte von einer goldenen Statue. Sie soll magische Kraft besitzen, und wenn jemand siebenmal ihre Füße küsst, geht ein Wunsch in Erfüllung.«

»Das klingt ja wie im Märchen«, lachte Dina. »Einer Statue traue ich das nicht zu, noch nicht einmal einer goldenen. Und was ist aus ihr bei dem Brand geworden? Ist sie geschmolzen?«

Fräulein Clewes zuckte die Schultern. »Niemand weiß, wo sie geblieben ist. Vielleicht ist sie tatsächlich geschmolzen. Es wäre gar nicht verwunderlich, denn die Hitze muss entsetzlich gewesen sein. Oder die Bewohner haben sie gerettet und mitgenommen oder es ist wirklich nur ein Märchen, fast alle alten Häuser haben so ihre Geschichten.«

»Ja, meistens«, nickte Dina. »Darf ich schnell den Plan durchpausen? Ich meine nur die Keller, die damals benutzt wurden. Wir möchten sie uns nämlich einmal ansehen.«

»Oh, das lasst lieber sein!« Die freundliche alte Dame machte ein bedenkliches Gesicht. »Seit wir vor fünf Jahren den großen Sturm mit dem Wolkenbruch hatten, sind diese unterirdischen Gänge und Höhlen nicht mehr sicher und viele sind eingestürzt.«

»Na schön«, sagte Dina und fügte dann schnell hinzu: »Aber durchpausen möchte ich sie trotzdem.« Und damit legte sie ein Stück Pergament auf den Plan und begann das Gewirr von Linien sorgfältig nachzuziehen.

Wenig später verließ sie das Museum, eine sehr brauchbare Kopie in ihrer Umhängetasche. »Ich glaube ja nicht, dass sie uns irgendetwas nützen kann«, dachte sie, während sie schnellen Schrittes die sonnenbeschienene Straße hinunterging, »aber genau weiß man das natürlich nie. Ich glaube, wenn wir uns wirklich da unten verlaufen sollten, würde Lümmel uns schon wieder heraushelfen, Hunde wissen immer den Weg.«

Bald lief sie querfeldein, doch weder die Feldlerche hörte sie singen, noch hatte sie einen Blick für die ersten Primeln und das Schöllkraut, das am Wegesrand blühte, so sehr war sie mit ihren Gedanken bei dem alten Haus und dem nächtlichen Licht.

Was würde sie dort erwarten und was hatten die Jungen inzwischen herausgefunden?

Robert, Barny und Stubs waren unterdessen auf den Turm gestiegen, um nach Spuren zu suchen, die der nächtliche Besucher möglicherweise hinterlassen hatte.

Nun standen sie dort oben und der Wind fuhr ihnen durch die Haare und Barny spähte mit schmalen Augen über das Land. »Eine wunderbare Aussicht«, wandte er sich an Robert, der neben ihm an der Brüstung lehnte.

»Was sagt ihr da?«, rief Stubs. »Helft mir lieber beim Suchen.« Als aber niemand Anstalten machte, seiner Bitte nachzukommen, murmelte er etwas Unverständliches, um gleich darauf triumphierend »Ha!« zu schreien, sodass die beiden anderen zusammenfuhren. »Ha«, schrie er noch einmal, »das erste Beweisstück!« Mit spitzen Fingern hielt er ihnen seinen kostbaren Fund, eine leere Zigarettenpackung, unter die Nase. »Jetzt wissen wir wenigstens, dass wirklich jemand hier oben war«, sagte er befriedigt, »ein Geist ist es also nicht gewesen!«

»Alle Achtung«, lachte Barny, »da hast du ja wirklich etwas Brauchbares aufgetrieben!«

Sie stiegen die Wendeltreppe wieder hinunter, Miranda nun nicht mehr auf Barnys Schulter, sondern unter seinem Pullover hockend, denn sie hatte dort oben entsetzlich gefroren. In der großen Küche, nahe beim Herd, entdeckten sie eine leere, achtlos fortgeworfene Streichholzschachtel.

»Aha«, Stubs pfiff leise durch die Zähne, »der Kerl gebraucht Quick-Lite-Hölzchen und raucht Splendour-Zigaretten, ist nicht sehr vorsichtig, der Gute, wie?«

»Warum denn auch«, sagte Robert, »er kommt ja nur

nachts hierher, und wenn es hell wird, ist er längst über alle Berge.«

»Oder er versteckt sich in einem der Keller«, sagte Barny langsam.

»Vielleicht, vielleicht benutzen sie den Keller als Versteck für irgendwelche Sachen, die sie jetzt in Sicherheit bringen wollen; wisst ihr, ich habe das Gefühl, dass hier doch irgendetwas nicht in Ordnung ist.« Robert starrte die anderen nachdenklich an.

»Du meinst, jemand hat irgendetwas Wertvolles in den Höhlen untergebracht?«, fragte Barny. »Irgendetwas Gestohlenes? Und nun verständigt er sich mit einem anderen, der es abholen soll?«

»Ja, so und nicht anders muss es sein!« Stubs war in seinem Element. »Toll, was? Eines steht jedenfalls fest, wir müssen in die Keller und nachsehen. Ein Glück, dass wir die Taschenlampen und Lümmel haben!« Er betrachtete seinen Liebling nachdenklich und sagte dann plötzlich: »Vielleicht hat er ja deshalb neulich so gebellt. Also los, hier finden wir doch nichts mehr! Lasst uns jetzt nach unten gehen.«

So machten sie sich daran, die glitschigen Stufen hinabzusteigen. Robert ließ den Strahl der Taschenlampe ein Stück vor sich über den Boden gleiten, bis sie sich endlich in dem Keller befanden, den sie gemeinsam mit Onkel Bob unverrichteter Dinge hatten verlassen müssen.

Und hier erinnerte sich Robert mit Schrecken an seine Schwester. »Verdammt«, sagte er, »verdammt, jetzt haben wir Dina ja vergessen! Sie wird schon oben auf uns warten. Ich hole sie, ich bin gleich wieder da!«

Er lief die Stufen hinauf und Barny sah sich eben nach einer Sitzgelegenheit um, als Miranda ganz unerwartet unter seinem Pullover hervorsprang und fröhlich schnatternd im nächsten Gang verschwand.

»Miranda«, schrie Barny außer sich, »Miranda, komm sofort zurück!«

»Teufel auch!«, murmelte Stubs, griff in Lümmels Halsband und schoss hinter ihr her.

Atemlos folgte Barny ihm in einen Gang, dessen Decke sich stellenweise derartig senkte, dass sie sich bücken mussten. Im Schein ihrer Taschenlampen hielten sie verzweifelt Ausschau nach Miranda, konnten sie aber nicht entdecken.

Sie gelangten durch drei Höhlen in einen anderen Gang, der im Gegensatz zu dem ersten ziemlich breit war und der in eine Höhle führte, in der sie große Mengen von Konserven, Kartons und Kisten aufgestapelt fanden. Und dort, auf einigen Dosen mit der Aufschrift »Ananas«, hockte zu ihrer größten Erleichterung die Ausreißerin, einen Büchsenöffner in der Pfote.

»Komm herunter«, befahl Barny, mit Mühe ein Lachen verbeißend, »komm sofort herunter!«

Ohne noch länger zu zögern, landete sie mit einem Satz auf seiner Schulter und schnatterte ihm aufgeregt etwas ins Ohr.

»Puh«, stöhnte Stubs aufatmend und fuhr sich mit seiner niemals ganz sauberen Hand über die Stirn, »puh, das hätte auch schief gehen können.« Und nach einem Blick über die Fülle von Vorräten stieß er Barny an und flüsterte: »Hier muss doch jemand sein! Sieh nur, die vielen leeren Dosen! Bestimmt versteckt sich der Kerl hier, der vom Turm aus signalisiert hat. Was meinst du«, fuhr er fort, »sollen wir nicht weitergehen, wo wir doch schon einmal hier sind?«

»Na schön«, stimmte Barny nach einiger Überlegung zu, »aber wir müssen vorsichtig sein, es ist gut möglich, dass er sich ganz in der Nähe aufhält!«

# XV
## *Ein Büchsenöffner fällt zu Boden*

Sie schlichen weiter, wieder durch einen schmalen Gang, so schmal, dass sie sich kaum hindurchzwängen konnten. Und dann blieb Lümmel plötzlich stehen und knurrte leise und drohend.

Die Jungen wagten nicht, sich zu rühren. Warum nur knurrte er? Und gleich darauf wussten sie es. Ein seltsames Geräusch drang zu ihnen, die tiefen Atemzüge eines fest schlafenden Mannes!

Einen Augenblick standen sie regungslos, Lümmel dicht an Stubs gedrängt, noch immer leise knurrend. »Pst«, machte Stubs und Lümmel schwieg sofort.

»Halt ihn fest«, befahl Barny leise, »ich will einmal nachsehen.«

Stubs fasste in das Halsband, während Barny vorsich-

tig weiterschlich. Der Gang machte nun eine Biegung, Barny war davon überzeugt, dass sich der Schlafende unmittelbar dahinter aufhalten musste.

Er beugte sich etwas vor und erblickte in einer Höhle einen auf dem Rücken liegenden Mann. Der Mann war dunkelhäutig und hatte einen dünnen, schwarzen Schnurrbart auf der Oberlippe. Ein Inder oder Perser vielleicht.

Und um ihn herum lag Werkzeug verschiedenster Art, große und kleine Spaten, Brecheisen und Spitzhacken, der Mann hatte also hier gegraben. Was mochte er wohl suchen?

Zu Stubs zurückgekehrt, zog Barny ihn ein Stück den Gang hinauf, bis sie außer Hörweite waren.

»Hinter der Biegung ist ein wenig erfreulich aussehender Bursche«, flüsterte er. »Es liegt eine Menge Werkzeug herum, und es sieht so aus, als hätte er nach irgendetwas gegraben.«

Stubs sah ihn mit großen Augen an. »Vielleicht haben die Besitzer des Hauses alles Wertvolle hier unten vor dem Feuer in Sicherheit gebracht.«

»Oder es ist gestohlen und hier versteckt worden, als es schon brannte«, flüsterte Barny. »Möglicherweise ist es ja auch Brandstiftung gewesen, vielleicht hat man Feuer gelegt, um stehlen zu können. Gelohnt hat es sich bestimmt, die Leute waren doch sehr reich, nicht?«

»Ja, und dann haben sie Geld und Gut im Hügel versteckt und …« Stubs schwieg und seine Augen weiteten sich, »du, dann wäre es ja genauso, wie wir es in unserer Botschaft geschrieben haben, ›Ware im Lerchenhügel versteckt‹! Und das mit den Lichtsignalen ist ja auch schon wahr geworden und ›Treffpunkt Keller‹ wird wohl auch stimmen! Du, dann hätten wir ja alles vorausgesagt!« Er holte tief Luft. »Ist das nicht seltsam?«

»Ja, ziemlich seltsam«, nickte Barny, »so seltsam, dass ich vorschlage, wir kehren auf der Stelle um!«

Von neuem begann Lümmel zu knurren und Stubs legte ihm erschreckt die Hand auf den Kopf.

Schritte hallten im Gang aus der Richtung der Höhle, in der der Mann schlief, und gleich darauf hörten die Jungen eine ärgerliche Stimme: »Hassan, du pennst ja schon wieder! Hast du die Urnen gefunden?«

Der so plötzlich aus dem Schlaf Gerissene murmelte etwas und der andere fuhr fort: »Und wie ist es mit der Statue? Noch immer nichts?«

Anscheinend bekam er keine befriedigende Antwort, denn er stieß einen Fluch aus, und Lümmel knurrte wieder.

Die beiden Männer schwiegen plötzlich und nach einer Weile sagte der eine: »Was war denn das? Vielleicht Harry? Er muss sowieso gleich kommen. Letzte Nacht hat er den anderen signalisiert, dass sie die Urnen abholen können.«

Stubs lief es eiskalt über den Rücken. Verdammt, das war der Name, den Robert unter die Nachricht gesetzt hatte! Er fürchtete sich plötzlich. Harry, das musste der

151

Boss sein! Und wenn er nun kam? Dann musste er hier vorüber und dann saßen sie in der Falle!

Schweigend stand er und auch Barny schwieg und in der Stille hörten sie beide ein Geräusch. Jemand kam die Kellertreppe herunter und den Gang entlang, in dem sie standen!

Ohne zu überlegen packte Barny Stubs beim Arm, stieß ihn in eine wenige Schritte entfernt liegende Nische und zwängte sich dann ebenfalls hinein.

Atemlos und mit wild klopfenden Herzen warteten sie, die Schritte näherten sich, und in diesem Augenblick entglitt Miranda der Büchsenöffner und fiel laut klirrend zu Boden!

Wie angewurzelt blieb der Mann stehen und fuhr herum.

»Was ist das?«, rief er. »Wer ist da?«

Und nun knurrte Lümmel, dumpf und drohend. Der Mann beugte sich vor. Er war hässlich und trug eine schwarze Schutzklappe über dem einen Auge.

»Wer seid ihr? Was habt ihr hier zu suchen?«, schrie er, während der Strahl seiner Taschenlampe die blassen Gesichter der Jungen erfasste. Und dann rief er nach den beiden anderen Männern. »Ihr Idioten!«, schrie er die wortlos Glotzenden an. »Seht mal, was sich hier rumtreibt!

Habe ich euch nicht gesagt, ihr sollt aufpassen? Jetzt, wo wir beinahe fertig sind, jetzt, wo wir nur noch die Statue finden müssen, jetzt kommen uns diese Gören in die Quere! Ich könnte euch mit den Köpfen zusammenschlagen!«

»Ist doch nicht so wild, Harry«, sagte derjenige, der mit Hassan gekommen war. »Wir sperren sie einfach ein und spätestens morgen sind wir hier verschwunden.«

»Morgen, morgen«, brüllte der Mann, »vielleicht wird nach den Bengeln gesucht, und sie kommen uns dazwischen, wenn wir den Kram abtransportieren! Das Risiko können wir nicht eingehen. Wir müssen alles noch heute Nacht wegschaffen!«

Wieder wandte er sich an Stubs und Barny. »Los, kommt da raus, aber ein bisschen dalli!«

Die Jungen rührten sich nicht und der Mann zog sie unsanft aus ihrem Versteck. Außer sich vor Wut stürzte sich Lümmel auf ihn und biss ihn in den Fuß! Der Mann schrie, fuhr zurück, zog den Schuh aus und betrachtete die blutende Wunde mit schmerzverzerrtem Gesicht.

Einer der beiden anderen trat nach Lümmel und Lümmel winselte laut auf. Barny riss ihn an sich und jagte an den Männern vorüber, Stubs dicht hinter ihm.

»Da links rein!«, stieß er atemlos hervor. »In den engen Gang, da können sie uns nicht nachkommen!«

Sie zwängten sich zwischen den Wänden hindurch und die Männer blieben lachend zurück. »Recht so«, sagte der eine, »da sind sie gut aufgehoben. Wir brauchen nur noch den Salon dichtzumachen, dann können sie mit ihrem verdammten Köter da sitzen, bis sie schwarz werden.«

Die Jungen hörten, wie ein Felsblock herangewälzt wurde, aber sie kümmerten sich nicht darum. Im Schein der Taschenlampe untersuchten sie Lümmels Pfote. Zum Glück war sie nicht gebrochen, wie sie befürchtet hatten, und Stubs seufzte erleichtert.

»Du bist der beste Hund der Welt«, sagte er zärtlich. »Tut es sehr weh? Warte, ich verbinde dich mit meinem Taschentuch.«

Lümmel sah mit schmelzendem Blick zu ihm auf, so als wolle er trösten: »Es wird schon alles wieder gut!«

Aber würde wirklich alles wieder gut? Würden die Männer sie hier vielleicht einfach sitzen lassen und verschwinden? Und wenn sie es taten, würde man sie dann finden?

# XVI

## *Nichts für dich, mein Liebling*

Eine Weile hockten die Jungen, Stubs die Arme um Lümmel geschlungen, schweigend nebeneinander, bis Barny plötzlich eine Tafel Schokolade aus der Tasche zog und mit schwachem Lächeln sagte: »Wir sollten uns ein bisschen stärken, vielleicht fühlen wir uns dann etwas besser.«

»Schade, dass wir unseren Proviantkorb stehen lassen mussten«, sagte Stubs, während er einen Streifen von der angebotenen Tafel abbrach und ihn ehrlich mit Lümmel teilte. »Und Miranda?«, fragte er.

Doch da kam sie schon leise schnatternd unter Barnys Pullover hervor, wohin sie sich vor Schreck geflüchtet hatte, um das ihr zugedachte Stück in Empfang zu nehmen.

»Wir lassen lieber die Hälfte übrig«, meinte Barny, »wer weiß, wie lange wir hier noch bleiben müssen.«

Mit einem zögernden »Na schön« willigte Stubs schweren Herzens ein und fügte nach einer Weile hinzu: »Nur gut, dass Robert weiß, wo wir sind; wenn wir nicht zurückkommen, wird er schon etwas unternehmen.«

Barny stand auf und reckte sich. »Trotzdem, meinst du nicht auch, wir sollten wenigstens versuchen den Stein beiseite zu schaffen?«

Stubs war selbstverständlich Feuer und Flamme und so krochen sie also bis zum Eingang zurück. Doch obwohl Barny, durch das jahrelange Zirkusleben trainiert, alle Kräfte aufbot, mussten sie bald enttäuscht feststellen, dass es ihnen niemals gelingen würde, ihr Vorhaben durchzuführen.

Währenddessen hatte Lümmel begonnen, ein Loch in den Boden zu scharren, um auf seine Weise zu dem Befreiungswerk beizutragen. Nachdenklich, den Kopf gesenkt, mit hängenden Ohren, stand er nun vor dem Spalt, und plötzlich erinnerte er sich an Robert, an Robert, der sein geliebtes Herrchen aus dieser misslichen Lage befreien würde. Eilig zwängte er sich hinaus und humpelte so schnell wie möglich den Gang hinunter.

»Lümmel«, schrie Stubs, »komm sofort zurück.«

Aber er rannte weiter, die Nase am Boden, ab und zu leise knurrend. Er gelangte in die Höhle, in der der Mann geschlafen hatte, die nun aber verlassen lag. Doch etwas fand er dort, einen Schuh, den Schuh, den Harry ausgezogen hatte, um seinen Fuß begutachten zu können!

Niemals hätte Lümmel es übers Herz gebracht, ihn stehen zu lassen. Dieser Fund würde sein Herrchen aufheitern, würde die trübe Stimmung verscheuchen. Freudig erregt kehrte er auf der Stelle um und Stubs atmete erleichtert auf. »Alter Dummkopf«, sagte er zärtlich, »nun bleibst du aber hier, verstanden! Und woher hast du dieses kostbare Stück? Du, Barny, ich glaube, das ist der Schuh von Harry.«

»Hm«, machte Barny abwesend und fragte unvermittelt: »Ob man vielleicht auf der anderen Seite hinauskommen kann?«

Er ließ den Schein seiner Taschenlampe bis zum Ende des Ganges gleiten. »Es sieht so aus, als ob die Decke dort eingestürzt wäre, vielleicht können wir uns durchbuddeln.«

»Ja«, sagte Stubs eifrig, »wir versuchen es. Besser, als gar nichts zu tun.«

Mit den Händen begannen sie Steine und Erde fortzuräumen, und Lümmel und Miranda, die die Lage sofort erfasst zu haben schienen, halfen mit Feuereifer. Das Geröll war sehr lose und die Jungen sahen bald, dass sie mit ihrer Vermutung Recht gehabt hatten. Irgendwann war dieser Gang durch die eingestürzte Decke blockiert worden.

»Ich bin durch«, sagte Barny, als seine Hand plötzlich ins Leere griff, »schnell, wir haben bald ein Loch, das groß genug ist! Da, Lümmel ist schon drüben!«

Und gleich darauf drang ein leises und drohendes Knurren zu ihnen und Barny flüsterte: »Er wird doch niemandem begegnet sein? Ich will einmal nachsehen, irgendetwas muss er ja so anknurren.«

Mit klopfendem Herzen sah Stubs ihn sich geschmeidig durch die Öffnung schieben, lauschte mit angehaltenem Atem und rief endlich leise in die ihm unheimlich werdende Stille: »Ist da etwas?«

»Ja«, sagte Barny langsam, »wenn ich keine Halluzinationen habe! Komm her!«

Und einen Augenblick später starrte Stubs fassungslos in ein matt schimmerndes Gesicht, dessen funkelnde Augen ihn zu durchbohren schienen.

»Du«, flüsterte er nach einer Weile, »was ist das?«

»Die Statue«, sagte Barny und lachte leise, »die goldene Statue, von der die Männer sprachen und nach der sie die ganze Zeit gesucht haben.«

»Donnerwetter«, murmelte Stubs beinahe andächtig, »hast du so etwas schon einmal gesehen?«

An Stelle einer Antwort lachte Barny wieder, dieses Mal so herzlich, als befänden sie sich nicht in einer so wenig erfreulichen Lage. Denn mit einem Satz hatte Miranda Platz auf ihrem Kopf genommen und beide Pfoten über die Augen aus Edelsteinen gelegt. Und auch Lümmel schien Gefallen an dieser seltsamen Erscheinung gefunden zu haben, denn er beschnupperte sie mit dem größten Interesse.

»Nichts für dich, mein Liebling«, sagte Stubs »nichts für dich. Sie ist aus Gold! Ganz und gar aus Gold!«

»Was Dina und Robert jetzt wohl machen?«, fragte er, als sie endlich durch die Öffnung zurückgekrochen waren. »Ich wollte, sie kämen, um uns hier herauszuholen!«

# XVII

## *… davon hat nichts in der Nachricht gestanden*

Robert hatte Dina am Eingang des alten Hauses nicht vorgefunden und eine Weile vergeblich nach ihr Ausschau gehalten, ehe er sich entschloss, ihr den Hügel hinunter ein Stück entgegenzugehen.

Auf halber Höhe traf er mit ihr zusammen. »Hallo, Dina«, rief er, »du lässt ja auf dich warten. Wo bleibst du denn so lange? Wir haben …« Er stockte, als er ihre angespannte Miene bemerkte, und folgte ihren Blicken.

Den Weg hinunter kamen drei Männer auf sie zu. Drei seltsame Gestalten. Der eine, mit einer Augenklappe, humpelnd und mit nur einem Schuh bekleidet, stützte sich auf die beiden anderen, von denen der zu seiner Linken ein fremdartiges Aussehen hatte.

»Woher kommen die denn so plötzlich?«, fragte Robert leise. »Eben war doch noch nichts von ihnen zu sehen.«

»Vielleicht aus den Kellern«, flüsterte Dina, »es gibt nämlich einen zweiten Eingang.«

Robert war zu verwirrt, um etwas erwidern zu können, und er hätte dazu auch keine Gelegenheit mehr gefunden, denn einer der Männer stand plötzlich vor ihnen.

»Könnt ihr mir vielleicht sagen, wo hier in der Stadt ein Arzt wohnt? Mein Kamerad ist nämlich von einem Hund gebissen worden.«

»Lümmel!«, dachten Robert und Dina gleichzeitig und Dina spürte ihre Knie weich werden.

»„Äh, ja«, stotterte Robert, der sich so schnell nicht fassen konnte, »ja, da gehen Sie am besten zu Dr. Brown, er wohnt gleich …«

Während er den Weg genau beschrieb, versuchte er sich das Gesicht des Mannes und auch die der nun näher Herangekommenen einzuprägen. »Sind Sie denn von einem großen Hund gebissen worden?«, fragte er, einer plötzlichen Eingebung folgend.

Doch er erhielt keine Antwort mehr. Der Mann hatte ihm schon den Rücken zugewandt und setzte gemeinsam mit den anderen seinen Weg fort.

»Oh, Robert«, flüsterte Dina, »das war Lümmel, Lümmel hat ihn gebissen. Was ist da passiert?«

»Wir müssen den Eingang finden«, sagte Robert hastig, »den Eingang, von dem du eben sprachst, und dann müssen wir die anderen suchen. Komm, da drüben muss er irgendwo sein! Los, wir müssen uns beeilen!«

Vorsichtig sahen die beiden nach allen Seiten, um sich zu vergewissern, dass auch niemand sie beobachtete, ehe sie dorthin liefen, wo sie die Männer hatten auftauchen sehen.

Doch plötzlich blieb Dina stehen und griff nach Roberts Arm. »Himmel, was sind wir blöd«, sagte sie, »ich habe doch den Plan.« Hastig zog sie den Bogen aus der Tasche, faltete ihn auseinander und wies auf einen Punkt. »Hier ist der Anfang der Keller, siehst du? Und die unterirdischen Gänge führen den Hügel hinunter, und …«

»Aber wie sollen wir herausfinden, wo sie enden und wo der Eingang ist?«, fragte Robert schnell. »Er kann überall sein.«

»Da hast du Recht«, murmelte Dina, noch immer über den Plan gebeugt. »Du, was mag das denn sein, diese gewundene Linie, die sich den Abhang hinunterzieht? Gerade an der Stelle, wo der Eingang eingezeichnet ist, macht sie einen großen Bogen. Ob es ein Bach ist?«

»Höchstwahrscheinlich, aber entdecken kann ich keinen.« Robert sah sich suchend um. »Sicher ist er ausgetrocknet.«

»Aber das Bett müsste doch noch vorhanden sein. Und wenn wir das finden, dann ist uns geholfen.«

Aufgeregt begannen sie zu suchen, zunächst ohne Erfolg, aber dann stieß Dina plötzlich einen Schrei aus. »Da, das ist es bestimmt, der Graben, der an dem Hagedornbusch entlangläuft!«

»Ja, das könnte es sein«, sagte Robert hastig und warf einen vergleichenden Blick auf die Karte. »Also, versuchen wir es.«

Langsam stiegen sie den Abhang hinauf, sich dicht neben dem ausgetrockneten Graben haltend, der nun einen Bogen beschrieb.

»Hier«, rief Robert, »hier muss die Öffnung irgendwo sein! Das ist die Biegung, die auf dem Plan eingezeichnet ist.«

Er hatte Recht! Ein großer Stechginsterbusch, dicht und stachlig, versperrte ihnen den Weg und davor war ein Stück der Erde festgetreten, wie von vielen Schritten.

Glücklicherweise trugen sie beide Pullover und zogen sie schützend über die Köpfe, als sie nun unter den Busch krochen. Jemand hatte einen Teil der Zweige abgeschnitten und so kamen sie einigermaßen schnell voran.

Und plötzlich gähnte eine dunkle Öffnung mit in die Tiefe führenden Stufen vor ihnen. Schweigend starrten sie hinein, bis Robert endlich sagte: »Ich gehe voran.«

Sie begannen hinabzusteigen, langsam und vorsichtig, standen bald in einem schmalen Gang und gingen weiter.

Im Schein ihrer Taschenlampen sahen sie zu beiden Seiten immer wieder kleine und größere Höhlen und wunderten sich, dass es so viele waren. Wie ein Bienenkorb wirkte dieser Hügel. Unzählige Wasserläufe mussten früher, ehe sie versiegten, hier bergab geflossen sein und Gänge und Höhlen zurückgelassen haben.

Hin und wieder blieben die Kinder stehen und lauschten. Aber sie hörten keinen Laut. Totenstill war es und Dina fühlte, wie ihr die Angst allmählich die Kehle zuschnürte.

»Wir werden sie schon noch finden«, tröstete Robert sie.

Sie setzten ihren Weg fort, bis Dina plötzlich wieder stehen blieb und flüsterte: »Ich glaube, wir müssen rufen, wenn es auch gefährlich ist.«

»Wir rufen«, entschied Robert, »es ist das einzig Richtige und Vernünftige. Und was diese Kerle betrifft, so werden sie wohl noch eine Weile beim Arzt zubringen müssen und nicht so schnell zurückkommen.«

In regelmäßigen Abständen riefen sie nun Stubs' und Barnys Namen und manchmal rief Dina auch nach Lümmel. Doch es blieb so still wie zuvor, nur das Geräusch ihrer Schritte hallte von den Wänden wider.

Nein, das enge Gefängnis von Barny und Stubs lag noch zu weit entfernt, als dass die beiden die Rufe hätten hören können.

Doch Lümmels scharfen Ohren waren sie nicht entgangen. Leise knurrend lauschte er und Stubs flüsterte voller Schrecken: »Ob die Kerle schon wiederkommen?«

»So schnell? Das glaube ich nicht«, beruhigte Barny ihn, obwohl auch ihm der Gedanke an die mögliche Rückkehr der Männer Unbehagen verursachte. Gespannt beobachteten sie nun beide, wie Lümmel, noch immer lauschend, plötzlich den Kopf zur Seite legte, und Stubs flüsterte aufgeregt: »Das würde er niemals tun, wenn die drei zurückkämen!«

»Natürlich nicht, es könnten ja vielleicht auch …«

Barnys weitere Worte gingen in dem in diesem Augenblick ausbrechenden Freudengeheul Lümmels unter, und während Stubs schrie: »Das sind Dina und Robert!« und Miranda aufgeregt zu schnattern begann, packte Dina

Robert am Arm und rief glücklich: »Das ist Lümmel, hörst du?«

»Wir kommen!«, schrien beide wie aus einem Mund und Stubs rief zurück: »Hier sind wir, hier, hinter dem großen Felsblock!«

Dina fing als Erste an zu laufen und endlich am Ziel, sagte sie außer Atem: »Gott sei Dank« und Robert sagte: »Eben sind uns drei widerwärtige Burschen begegnet; ich nehme an, die haben euch hier eingesperrt!«

»Wenn der eine humpelte und eine schwarze Augenklappe trug, dann hast du mit deiner Vermutung Recht«, entgegnete Barny.

»Sie haben uns sogar angesprochen«, sagte Dina schaudernd, »sie fragten nach einem Arzt.«

»Ha«, schrie Stubs begeistert, »er musste also ärztliche Hilfe in Anspruch nehmen. Ha, Lümmel hat ihn also fertig gemacht.«

»Das haben wir uns gleich gedacht«, sagte Robert. »Übrigens war Dinas Idee mit dem Museumsbesuch gar nicht so schlecht. Auf einem Plan von den Kellern war ein zweiter Eingang eingezeichnet, der auf halber Höhe des Hügels liegt und durch den wir gekommen sind.«

»Ich glaube, wir sollten jetzt erst einmal versuchen, den Stein fortzuschaffen«, mischte sich Barny hastig ein.

»Alles Nähere können wir uns ja nachher erzählen. Also, fasst an!«

Doch zu ihrer größten Enttäuschung blieben all ihre Bemühungen ohne Erfolg, und endlich waren sie so außer Atem, dass Barny vorschlug, eine Pause einzulegen, die Stubs dazu benutzte, von der goldenen Statue zu berichten. »Ha«, rief er, »ihr werdet Augen machen, wenn ihr sie seht.«

»Ganz und gar aus Gold?«, sagte Robert staunend und Dina lachte: »Fräulein Clewes hat mir schon erzählt, dass es so etwas geben soll und dass sie, wenn man ihr siebenmal die Füße küsst, alle Wünsche erfüllt.«

»Was wir dann auf keinen Fall vergessen dürfen«, fügte Robert ernsthaft hinzu.

Das diesen Worten folgende Gelächter wurde durch Barnys Mahnung, sich noch einmal an die Arbeit zu begeben, beendet. Doch auch der zweite Versuch, den Stein zu bewegen, schlug fehl und wurde schon nach kurzer Zeit abgebrochen, denn alle waren der Meinung, es wäre vernünftiger, Hilfe zu holen.

»Wir beeilen uns«, versicherten Dina und Robert, und während sie davonliefen, lauschten Barny und Stubs ihren sich schnell entfernenden Schritten.

»Ich höre sie nicht mehr«, sagte Stubs endlich, »ich

wollte, sie wären schon wieder zurück. Übrigens, was meinst du, was Onkel Bob sagt, wenn sie ihm von der goldenen Statue erzählen?«

»Er wird es nicht glauben«, grinste Barny schwach, »schließlich hat davon nichts in der chiffrierten Nachricht gestanden!«

# XVIII

## *Von denen kann man träumen, was?*

Angespannt auf Schritte der möglicherweise zurückkehrenden Männer lauschend, liefen Dina und Robert den Gang entlang. Einmal hörten sie ein Geräusch und blieben erschrocken stehen, aber es geschah nichts.

»Wäre es nicht richtiger, wir gingen durch das alte Haus zurück?«, fragte Dina leise. »Wenn wir den Männern begegneten, das wäre entsetzlich.«

Doch Robert beruhigte sie. »So schnell kommen sie bestimmt nicht zurück, außerdem sparen wir kostbare Zeit, wenn wir hier weitergehen.«

Tatsächlich erreichten sie den Ausgang unter dem Stechginsterbusch unbehelligt. Aber erst als sie auf dem sonnenbeschienenen Abhang des Hügels standen, atmeten sie erleichtert auf.

»Wir müssen unbedingt vor den Männern zurück sein«, sagte Robert, während sie schon hinunterjagten.

Noch niemals in ihrem Leben waren die Kinder so gelaufen, und Dina schien es manchmal, als könne sie nicht mehr weiter. Aber der Gedanke an Stubs und Barny und an die Gefahr, in der sie schwebten, verlieh ihr immer wieder neue Kräfte.

Doch zu Hause angelangt, überließ sie es Robert, nach der Mutter zu rufen, denn sie musste sich für einen Augenblick gegen die Wand lehnen, so erschöpft war sie.

»Eure Mutter ist einkaufen gegangen«, ließ Marie sich aus der Küche vernehmen.

»Und Onkel Bob? Wo ist Onkel Bob?«

»Im Garten«, sagte Marie und sah den beiden wortlos an ihr Vorüberstürmenden kopfschüttelnd nach.

»Nanu, wo brennt's denn?«, sagte der Onkel und betrachtete die atemlos vor ihm stehenden Kinder erstaunt.

»Du musst sofort mitkommen«, keuchte Robert, »Barny und Stubs sind in dem alten Haus auf dem Lerchenhügel eingesperrt worden. Sie wollten wegen der Lichtsignale ...«

»Findet ihr nicht, dass ihr den Scherz ein wenig zu weit treibt?«, unterbrach ihn Onkel Bob mit ungewöhnlich ernster Miene.

»Aber es ist kein Scherz, die beiden sitzen wirklich dort unten im Keller, in einem engen, dunklen Gang!«, rief Dina verzweifelt.

»Es klingt ja verrückt, aber es stimmt«, beteuerte Robert, »du kannst es uns glauben, es stimmt wahrhaftig! Wir haben die beiden selber eben erst gefunden, konnten aber den Stein, der vor den Eingang gerollt ist, allein nicht fortschaffen. Glaub uns doch!«

»Und den drei grässlichen Kerlen sind wir auch begegnet«, fügte Dina in beschwörendem Ton hinzu, »wir haben sogar mit ihnen gesprochen!«

Doch Onkel Bobs Gesicht drückte noch immer nichts als Unglauben und Misstrauen aus und so wandte sie sich kurz entschlossen ab und sagte, während ihr die Tränen über die Wangen liefen: »Komm, Robert, wir rufen die Polizei an!«

»Halt!«, befahl Onkel Bob, fasste ihren Arm, sah ihr in die Augen und fuhr langsam fort: »Dass dieser Kummer nicht gespielt sein kann, so gut glaube ich dich doch zu kennen. Also muss man annehmen, dass an eurer Geschichte, so unglaublich sie auch klingt, etwas Wahres dran ist.«

»Sie ist wahr!«, schluchzte Dina und Robert ergänzte erleichtert: »Von Anfang bis Ende!«

Unter anderen Umständen hätte Onkel Bob es sich wohl nicht nehmen lassen, eine Anspielung auf die chiffrierte Botschaft zu machen, so aber sagte er schnell: »Komm, Robert, wir fahren, so weit es geht, mit dem Wagen. Dina bleibt besser hier, es würde ihr zu viel werden.«

Er vertraute die nur schwach Protestierende Maries Obhut an und saß gleich darauf hinter dem Steuer.

In kürzester Zeit waren sie am Fuße des Lerchenhügels angelangt. Und hätte Onkel Bob auch nur noch den leisesten Zweifel an der Wahrheit dieser unglaublichen Geschichte gehegt, so wäre er durch die Hast, die Robert nun während des Aufstiegs an den Tag legte, überzeugt worden.

Endlich standen sie aufatmend vor dem Stechginsterbusch und Robert sagte leise: »Hier ist es, hier ist der Eingang. Wir haben ihn mit Hilfe eines Planes der Keller gefunden. Pass auf, dass du nicht zu sehr zerkratzt wirst.«

Und einige Sekunden später pfiff Onkel Bob beim Anblick der Stufen, die in die Tiefe führten, leise durch die Zähne. Was dies hier betraf, so entsprach der Bericht der Kinder jedenfalls den Tatsachen.

So schnell es ihnen möglich war, legten sie den Robert nun schon bekannten Weg zurück, bis Onkel Bob plötzlich stehen blieb und lauschte. »Was war denn das?«

»Lümmel, das ist Lümmel«, sagte Robert, »wir sind gleich da!«

Ja, Lümmel gebärdete sich schon wie verrückt vor Freude, und Stubs und Barny, die wussten, dass er sich anders verhalten hätte, wenn es die Männer gewesen wären, warteten voll atemloser Spannung und seufzten erleichtert, als sie nun Onkel Bobs Stimme hörten: »Wir kommen!«

Mit seiner Hilfe hatten ihre bisher vergeblichen Bemühungen Erfolg und so waren sie wenig später endlich befreit!

»Und was hältst du jetzt von unserem ausgedachten Fall?«, fragte Stubs, dessen Lebensgeister unwahrscheinlich schnell wieder erwachten. »Was sagst du jetzt?«

»Mir fehlen die Worte«, antwortete Onkel Bob lächelnd und wischte sich den Schweiß von der Stirn.

»Ihm fehlen die Worte«, wiederholte Stubs triumphierend, »und dabei hat er die Statue noch nicht gesehen!«

»Die Statue!« Robert starrte ihn fassungslos an. »Wir haben in der Aufregung ja ganz vergessen, ihm von der Statue zu erzählen! Sie ist aus purem Gold«, wandte er sich an Onkel Bob.

»Von Kopf bis Fuß«, fiel Stubs aufgeregt ein, »und ihre Augen sind aus Edelsteinen und die Kerle haben nach ihr gefahndet.«

»Gesucht«, verbesserte Barny und lachte amüsiert.

»Und Barny hat sie entdeckt.« Stubs ließ sich nicht beirren.

»Ich begreife überhaupt nichts mehr«, sagte Onkel Bob und sah verwirrt von einem zum anderen.

»Das habe ich kommen sehen«, nickte Stubs befriedigt, und als gleich darauf der Anblick der fernöstlichen Kostbarkeit Onkel Bob völlig aus der Fassung zu bringen schien, waren seine kühnsten Erwartungen weit übertroffen.

»Das ist der seltsamste Fall, zu dem ich auf die seltsamste Weise gekommen bin«, sagte der Onkel endlich, »und wenn ich es recht betrachte, so muss ich mich eigentlich bei euch entschuldigen.«

»Ach wo«, wehrte Stubs, nun doch ein wenig verlegen, ab, während sie schon dem Ausgang zustrebten, »wir an deiner Stelle hätten den Quatsch auch nicht geglaubt!«

Ja, Stubs zeigte sich großmütig und verzichtete darauf, seinen Triumph noch länger auszukosten. Und als wenig später auf dem Hügel der letzte Beweis für die Glaubwürdigkeit ihres Erlebnisses in Gestalt der drei Männer auftauchte, die bei ihrem Anblick auf der Stelle die Flucht ergriffen, sagte er nur: »Von denen kann man träumen, was?«

# XIX

## *Lümmel hat's ja gleich gewusst*

Das wurde ein Heimweg in der glücklichsten Stimmung, und alle nahmen es gerne auf sich, Lümmel ein Stück zu tragen, denn keines der Kinder hätte es zugelassen, dass er seine verletzte Pfote unnötig strapazierte.

Lümmel ließ es sich gerne gefallen und war, sofern das überhaupt möglich war, noch glücklicher und stolzer als die drei. War nicht er es gewesen, der daran gedacht hatte, das kostbare Beutestück mitzunehmen, das sein Herrchen so unternehmungslustig in seiner Rechten schwenkte?

Und als Stubs nun rief: »He, Onkel Bob, hast du Harrys Schuh schon gesehen? Den hat Lümmel mitgenommen«, kannte sein Stolz keine Grenzen.

Onkel Bob, der mit langen Schritten vorausging, blieb

stehen und fragte erstaunt: »Harrys Schuh? Wer ist Harry?«

»Du wirst dich wundern, der mit der Augenklappe, der hört auf diesen schönen Namen, denselben, den wir unter unsere chiffrierte Nachricht gesetzt haben!«

»Ich wundere mich über gar nichts mehr«, erwiderte Onkel Bob lachend, »ich würde mich auch nicht wundern, wenn ihr mir erzähltet, dass ihr mit Harry und seinen Kumpanen unter einer Decke steckt.«

»Aha«, sagte Robert langsam, stieß Barny an und kniff Stubs ein Auge zu, »jetzt begreife ich auch, warum du die Burschen, als sie vorhin aufkreuzten, hast laufen lassen. Du wolltest deine Verwandtschaft schonen, du wolltest nicht, dass sie mit ihnen zusammen im Gefängnis landet!«

»Genau«, nickte Onkel Bob und warf ihm einen amüsierten Blick zu, »aber Scherz beiseite, ich kann mich schließlich nicht in Begleitung dreier Kinder mit drei ausgewachsenen Männern herumschlagen. Die Burschen sind uns ohnehin sicher. Wir fahren jetzt zum nächsten Polizeirevier und dort wird man sofort alles Nötige veranlassen. Wer weiß, vielleicht fahndet man schon nach ihnen. Nun, wie dem auch sei, euch wird man jedenfalls mit offenen Armen empfangen.«

Onkel Bob sollte Recht behalten. Der Hauptwachtmeis-

ter war des Lobes voll, und zwischen zwei Telefonge-
sprächen, die er anschließend an ihren Bericht führte,
nickte er ihnen anerkennend zu: »Das habt ihr gut gemacht! Man kann euch wahrhaftig gratulieren!«

»Nur keine Vorschusslorbeeren«, winkte Stubs hoheitsvoll ab, »erst müssen Sie sie ja einmal haben!«

»Da hast du Recht, mein Junge, aber ich denke, das
wird nicht allzu lange dauern. Ich habe da so meine Ver-
mutungen.«

Der Beamte lachte herzlich, und nachdem er zum drit-
ten Mal nach dem Telefonhörer gegriffen und ein paar
kurze Anweisungen gegeben hatte, murmelte er: »Eine
Statue aus Gold, kein Wunder, dass die Burschen hinter
ihr her waren!«

»Man kann nur froh sein, dass sie sie nicht gefunden
haben«, sagte Barny und seine Augen funkelten, »sonst
hätten sie ihre Füße siebenmal geküsst und sich gewünscht, dass man sie niemals fasst.«

»Tja«, machte Stubs gedehnt und hob bedauernd die
Schultern, »das wäre Pech für Sie gewesen, Herr Hauptwachtmeister. Der Wunsch wäre nämlich garantiert in Erfüllung gegangen, weil …«

»… man ihr übernatürliche Kräfte zuschreibt«, bestätigte Robert ernsthaft.

»Dann habt ihr es wohl auf keinen Fall versäumt, ihr eine Bitte vorzutragen«, war die schmunzelnde Antwort.

»Worauf Sie sich verlassen können«, nickte Stubs und fuhr, während er Onkel Bob einen bedeutsamen Blick zuwarf, genießerisch fort: »Wir haben uns gewünscht, dass man in Zukunft unsere Angelegenheiten so ernst nimmt, wie es ihnen zukommt!«

Mit dem Bescheid, dass man zwecks einer Gegenüberstellung mit den Männern zu gegebener Zeit von sich hören lassen würde, wurden sie entlassen. Und während sie schon nach Hause fuhren, entdeckte Stubs am Boden neben seinem Sitz Harrys Schuh.

»Wir nehmen ihn das nächste Mal mit, wenn wir aufs Revier bestellt werden«, beruhigte Onkel Bob ihn, »und darauf werden wir wohl nicht lange warten müssen, ich habe das Gefühl, als wüsste der Hauptwachtmeister, wo er die drei zu suchen hat.«

Und dieses Gefühl täuschte ihn nicht. Schon am nächsten Tag wurde in einem in der Nähe gelegenen Ort eine Gruppe von Ausländern verhaftet, obwohl keiner von ihnen eine Schutzklappe über dem Auge oder ein schwarzes Lippenbärtchen trug. Und alle beteuerten, nichts, aber auch gar nichts mit der Sache zu tun zu haben, und schworen, weder das alte ausgebrannte

Haus noch die unterirdischen Gänge und Höhlen zu kennen.

»Ich muss Sie trotzdem bitten, uns zu begleiten«, sagte der Hauptwachtmeister, »eine reine Formsache.« Und damit schob er einen nach dem anderen in den bereitstehenden Wagen.

Anschließend stellte man die Männer den Kindern gegenüber.

Doch ehe Robert, der sie nach einem prüfenden Blick zu erkennen glaubte, auch nur ein Wort sagen konnte, stürzte sich Lümmel auf einen von ihnen.

Der Mann wich zurück und Stubs schrie: »Das ist er! Das ist Harry! Und hier ist sein Schuh, den Lümmel bis nach Hause mitgeschleppt hat!«

Trotz heftigen Sträubens musste der Mann der Aufforderung, den rechten Schuh und Strumpf auszuziehen, Folge leisten, und als der weiße Verband zum Vorschein kam, rief Stubs triumphierend: »Na also, Lümmel hat's ja gleich gewusst!«

»Ziehen Sie diesen hier einmal an«, sagte der Hauptwachtmeister, indem er dem Mann Lümmels Beutestück reichte.

Die Hände des Mannes zitterten, und als die gespannt Wartenden befriedigt feststellten, dass der Schuh ihm wie angegossen passte, zog einer seiner nervös gewordenen Begleiter hastig ein Päckchen aus der Tasche.

»Splendour-Zigaretten«, sagte Barny schnell, »genauso eine Packung haben wir oben auf dem Turm gefunden.«

»Hier ist sie«, rief Stubs und schwenkte eine leere Schachtel, »nun müssten Sie eigentlich genug Beweismaterial haben, Herr Hauptwachtmeister!«

Es schien, als wäre der Beamte der gleichen Meinung, denn er ließ die Männer abführen und sagte einen Augenblick später zu Onkel Bob: »Da wächst Ihnen in den Trabanten eine tüchtige Konkurrenz heran!«

»Vor allen Dingen in Lümmel«, sagte Stubs mit stolzem Lächeln.

Am Abend dieses Tages saßen die Kinder in gehobener Stimmung noch im Gartenhäuschen beisammen. Ihr Lachen und Schwatzen drang durch die geöffneten Fenster in den nun dunkel werdenden Garten, wo der Mond schon als silberne Sichel in den Zweigen der Apfelbäume hing.

Plötzlich spitzte Lümmel die Ohren und gleich darauf erschien in der geöffneten Tür Onkel Bob. Onkel Bob, der mit strahlendem Lächeln auf der linken Hand ein voll beladenes Tablett balancierte, in dessen Mitte eine große Schokoladentorte prangte.

Der nun einsetzende Begeisterungssturm machte es ihm vorerst unmöglich, sich Gehör zu verschaffen, und so wartete er denn, bis sie alle mit glänzenden Augen um den in Windeseile gedeckten Tisch saßen, ehe er in beinahe feierlichem Ton begann: »Trinken wir auf das glückliche Ende dieser unglaublichen Geschichte, trinken wir auf euren Mut, eure Ausdauer und …«, hier machte er eine kleine Pause und sah augenzwinkernd von einem zum anderen, »… auf euren Einfallsreichtum!«

Er hob das mit Limonade gefüllte Glas, ohne zu ahnen, dass sich Miranda heimlich und blitzschnell mit einer Pfote voll Maries köstlichem Sahneeis seinem Platz genähert hatte.

Und im nächsten Augenblick war sie mit einem Satz auf seiner Schulter gelandet, legte die ihm zugedachte milde Gabe auf sein Haupt und warf fröhlich schnatternd einen triumphierenden Blick in die Runde.

War sie der Meinung gewesen, Onkel Bob aus der Fassung bringen zu können, so wurde sie eines Besseren belehrt. Denn während er, ohne mit der Wimper zu zucken, so gut es ging mit einem Taschentuch die süße Masse aus seinem Haar entfernte, beendete er seinen Trinkspruch in aller Ruhe und in der heitersten Laune: »Und vergessen wir nicht, auf Barnys kleine Freundin anzustoßen, die uns, wie es scheint, eben vor Augen führen wollte, dass ihre und eure Phantasie unerschöpflich ist!«

»Das ist sie«, sagte Stubs klar und deutlich in das fröhliche Gelächter und Gläserklirren hinein, »wahr und wahrhaftig, das ist sie!«

**Kinderbücher ab 8**

Die große Erfolgsreihe von

**Die »RÄTSEL«-Serie bei OMNIBUS**

Wer kennt es nicht, dieses
herrliche Gefühl, wenn die Ferien
endlich beginnen? Stubs, Dina,
Robert und Barny, die Freunde
aus der »Rätsel«-Reihe, können
es jedesmal kaum erwarten, sich
wieder zu treffen.
Ob Oster-, Sommer-, Herbst- oder
Weihnachtsferien – ihnen ist nicht
nach Faulenzen zumute, denn
aufregende, spannende und
manchmal auch komische
Abenteuer sind zu jeder Jahreszeit
zu bestehen.

Band 1        OMNIBUS Nr. 20188
**Rätsel um das verlassene Haus**

Band 2        OMNIBUS Nr. 20189
**Rätsel um die grüne Hand**

Band 3        OMNIBUS Nr. 20190
**Rätsel um den unterirdischen
Gang**

Band 4        OMNIBUS Nr. 20191
**Rätsel um den geheimen Hafen**

Band 5        OMNIBUS Nr. 20192
**Rätsel um den wandelnden
Schneemann**

Band 6        OMNIBUS Nr. 20193
**Rätsel um die verbotene Höhle**

Band 7        OMNIBUS Nr. 20194
**Rätsel um den tiefen Keller**

Der Taschenbuchverlag
für Kinder und Jugendliche
von C. Bertelsmann

## »Fünf Freunde«
### bei C. Bertelsmann

Seit über fünfzig Jahren faszinieren die
Abenteuer der fünf Freunde Anne, Georg
(die eigentlich Georgina heißt), Richard,
Julius und Tim, dem Hund, immer wieder
neue Generationen junger Leser.